難しい本をどう読むか

齋藤孝

草思社

難しい本をどう読むか

はじめに

「難しい本をどう読むか」

この問いを立てている時点で、人として正しい生き方をしている、と私は思います。

世の中には、この問いを立てずに一生を終える人が少なからず存在します。難しい本は自分には関係がない、別に読む必要などないと考える人たちです。

そんな中、**難しい本にチャレンジしたいと考える人は、知的向上心にあふれ、充実した人生を送る可能性を持っている**と断言できます。

そもそも難しい本を読みたいと思う人には、一定の実力があります。

福沢諭吉《ふくざわゆきち》は『福翁自伝《ふくおうじでん》』という自伝本の中で、緒方洪庵《おがたこうあん》の適塾《てきじゅく》で学問を学んでいた青春時代を回想し、次のように述べました。

> 自分たちより外《ほか》にこんな苦い薬を能《よ》く呑《の》む者はなかろうという見識で……ただ苦ければもっと呑んでやるというくらいの血気であったに違いはない。（『福翁自伝』より）

福沢は「オランダ語のような難しいものを学べるのは自分たちくらい。難しいからこそ、学んでやろうという気持ちだった」と語っています。

読んだからといって何の役に立つのかはわからない。でも、難しい本を読みこなせる人なんて自分たちぐらいだから、とにかく読んでみたい。難しければ難しいほど挑みがいがある。せっかくの知性と実力を持っているのであれば、この福沢諭吉の気概をぜひ見習ってほしいのです。

歴史的な思想家が考えたことは、その著書を読んだ経験がない人の頭の中にも、いつの間にか入り込んでいることがあります。

例えば、マルクスの『資本論』を一度も読んでなくても、現代人にはマルクスの考え方の一部がある種の常識として身についています。カントやデカルト、ヘーゲルといった大思想家たちが一生をかけて思考した概念を、現代に生きる私たちは前提にしながら生活しているところがあるわけです。

そんな「常識」を生み出したオリジナルの本に触れるのは、非常に貴重で有意義な経験です。日本語に訳されたものであっても、原著を読めばやはり感動があります。大思想家の声に触れた喜びがわくとともに、時代をつくった業績へのリスペクトを新たにすることでしょう。

本書は、古今東西の難解とされる名著を読むための方法を解説する本です。大きく二部構成となっており、第1部では難しい本を読む上での「共通ルール」を紹介し、第2部では14冊の本を取り上げ、具体的な読解法を解説しています。難しい本の読み方を指南しつつも、代表的な思想家についてエッセンスがわかるような記述を心掛けました。言わば「二兎を追って二兎を得る」が本書の隠れた目標となっています。

なお、名著を読解するにあたり、本書ではお勧めの翻訳書と解説書も紹介し、それぞれの本を引用しながら解説しました。ただし、翻訳書も解説書もさまざまなものが刊行されています。ほかにお好みの本を手に取っていただいてもかまいません。あくまでも私は案内人の一人。自分にぴったり合う案内人を味方につけた上でチャレンジしてみましょう。

現在、新型コロナウイルス感染症の拡大により、多くの人がステイホームの時間を余儀なくされています。そんな今こそ、難しい本に時間とエネルギーを注ぎ込む大きなチャンスであると前向きに捉えるべきです。

「有名だから知っているけど、一度も読んだことがない本」

「かつて3行だけ読んで放り出してしまった本」

こういう本にチャレンジするタイミングがあるとしたら、今をおいてほかにはありません。皆さんが本書をきっかけに最高の知性に触れ、教養豊かな人生を送られることを心から願っています。

2021年1月　齋藤　孝

目次

［第1部］

難しい本の読み方「理論編」

やさしいものばかり読んでいると脳は退化する

読者の皆さんは、最近難しい本を読んでいますか。難しい本をこれまで、どのくらい読みこなしてきましたか。

「忙しい仕事の合間に本を読むのだから、いちいち難しい本に関わっているヒマはない」

「難しい本を読んで苦しい思いをするくらいなら、読みやすい本をたくさん読んだほうが効率がいいし、楽しい」

そういう考え方には確かに一理あります。しかし、果たして難しい本を全面的に遠ざけてしまってよいのでしょうか。

難しい本から逃げて、やさしく読みやすい本ばかり読む。これは、いつも柔らかい離乳食のような食べ物ばかり口にしているようなもの。しだいに歯ごたえのある食べ物（難しくて骨のある文章）を受け付けられなくなってしまいます。

私が若い人たちと話をしていると、「本を読む行為がつらい」という話を結構な頻度で耳にします。広く若者全般を見ると、読書離れは確かに加速しているようです。彼らは、映画やテレビドラマを見るのは大丈夫なのだけれど、本を読むのがとにかくしんどいと言います。一行ずつ読んでいるうちに、今どの行を読んでいるのかを見失ってしまうらしいのです。

そういう若者には「しおりを当てながら一行ずつずらしていくといいよ。慣れてきたらしおりを使わなくても読めるようになるから」とアドバイスをしているのですが、アドバイスをしながら少し恐ろしい気持ちにもなりました。「これは、もしかして世の中で大変なことが進行しているのかもしれない」と直感的に思ったのです。

SNSの文章は読めても、活字の本は読めない人が、一定の割合で増えています。**SNSで使われている文章と本の文章は「文字が連なったもの」という意味では同じですが、質的には大きな違いがあります。**SNSの文章は概して読みやすく、読解に時間がかかることは稀《まれ》です。つまり、SNSの文章はおしゃべりの延長であり、やさしい文章の極地です。

こういったやさしい言葉だけでやりとりするのは、野球の練習でトスバッティングだけ繰り返すのと似ています。トスバッティングとは、二人一組で行う打撃練習の一つであり、横から下手でトスされたボールを、バッターがネットに向かって打ち込むというものです。トスバッティングは、ボールを打つポイントを確認したり、フォームを修正したりする効果があるとされ、確かに重要な練習ではあります。

ただ、コーチが近距離からトスしたボールを打つのと、ピッチャーが投げる時速150キロのボールを打ち返すのとは別物です。トスバッティングばかりしていて、肝心の生きたボールを打てなくなったら本末転倒です。

やさしい文章だけに触れ続けていくと、脳が退化してしまうのではないか、と私は危惧《きぐ》しています。**使わない筋肉が衰えていくように、脳も使わなければ退化します。**

東北大学で脳科学の研究をされている川島隆太先生も「道具が便利になればなるほど、脳はラクをしようとして機能が低下する」といったことをお話しされていました。

今はさまざまなアプリができ、勉強をサポートする道具も多彩に進化していますが、肝心な若者の学力はここ5年間にわたってまったく向上していない現実があります。安易なものに頼り、難しさから逃げ続けていると脳が退化する。まずは、皆さんにこの現実を知っていただきたいのです。

今、難しい本を読むことの意味

難しい本を読むと、脳が鍛えられる。それ以上に、知的優越感を味わえるというのは、一つの大きなメリットといえるでしょう。難しい本を読むことで、世の中を睥睨《へいげい》するような、高みに登ったときの気分の良さが得られる。多少は錯覚かもしれなくても、この手の気持ちの良さには何ものにも代えがたいものがあります。

人が優越感を味わうにあたっては、いろいろなアプローチがあります。お金を儲けることもそうでしょうし、美を追求することもそうでしょう。しかし、お金は何かのきっかけで失う可能性がありますし、お金があるからといって周囲からの尊敬が得られるわけではありません。美も、時間に抵抗できないはかないものです。

その点、知的な優位性はそう簡単には失われません。知力を他人に誇示する必要などなく、努力して高みに登った達成感を得ることこそに意味があります。

「ほとんどの人が読んでいない本を、自分は読むことができた」

難しい本を読むことで、自分に誇りが持てますし、自己肯定感も高まるわけです。

そして何より、難しい本を読むと教養が身につきます。教養とは、ドイツ語で「ビルドゥング（Bildung）」といいます。主人公がさまざまな経験をして、人間として成長していく姿を描く小説は「教養小説（ビルドゥングスロマン）」と呼ばれます。そこからもわかるように、「ビルドゥング」という言葉には「教養」と「自己形成」の意味が含まれています。

日本語で「教養」というと、「学問的な知識が豊富」「芸術にも精通している」といったイメージがあり、「自己形成」のイメージからは少し離れています。しかし、本来、教養は自己形成と不可分の関係にあります。教養を身につけることで、人は自己を形成し、人として成長していくわけです。

10代のころからさまざまな難しい本に触れ、自己を形成していくのは幸せな人生の過ごし方です。しかし、その時期を逸してしまったからと言って嘆く必要はありません。50歳になっても60歳になっても、あるいはもっと年長になってからでも、余暇の時間を使って難しい本にチャレンジすることは、やはり一つの自己形成です。人は何歳になっても、成長を続けることができるのです。

自分を成長させることと教養を身につけることが結びつくと、難しい本を読むモチベーションが高まります。読者の皆さんには、ぜひ「ビルドゥング」を意識しながら難しい本を手に取ってほしいと思います。

チャレンジする勇気を持とう

今、読書離れが進み、ただでさえ本を敬遠する人が増えている中で、難しい本にチャレンジしようとする読者は激減しています。まさに絶滅危惧種といっても過言ではありません。

私は、この状況をなんとか改善し、知の生態系を取り戻したいと考え、教え子である大学生たちに対して、難しい本を読みこなし、本物の知的な自信をつけるための指導を行ってきました。

高校を卒業してすぐに入学した大学1年生は、まだそれほど本格的な読書に取り組んだ経験がありません。彼らには、最初からドストエフスキーの『罪と罰』や、ニーチェの『ツァラトゥストラ』、デカルトの『方法序説』、あるいは『論語』といった古今東西の難しい名著を読んでもらいます。鉄は熱いうちに打て、です。

最初こそ尻込みする人が多いですが、正しい手順を踏み、本書でこれからお伝えするような読み方のコツを習得すれば、どうにか読み進められるようになります。一冊読み解くことができれば自信もつき、「それほど難しくなかった」「やっぱり名著を読むのは面白い」といった感想も聞かれるようになります。

そして、難しさに立ち向かう勇気がわいてくるのです。

人生を豊かにする上で最も大事なのは「勇気」です。勇気は、すべての壁を打ち破る強力な武器となります。勇気こそが知性であり、勇気がある人は新しいものにチャレンジし、新しい気づきを得て、それを喜びとすることができます。

古今東西、勇気を持たずに一流の研究者になり得た人は存在しません。例えば、ガリレオ・ガリレイが勇気を持たず、従来の常識を疑わない人物だったら、歴史はどうなっていたでしょう。

ガリレオが登場するまで、「重い物は軽い物よりも速く落下する」というアリストテレスの学説が、実に2000年近くにもわたって信じられてきました。確かに、「重い物が速く落ちる」というのは、感覚的にそうかもしれないと思わせるものがあります。それが正しいとすると、100キロの鉄球と1キロの鉄球とでは、前者のほうが速く落下することになります。

では、二つの鉄球をひもで結んだとしたらどうなるでしょうか。合わせて101キロの鉄球と考えれば、もっと速く落ちるようにも思えます。あるいは、100キロと1キロの中間の速度で落ちるようにも思えます。そうやって考えれば、この説には矛盾があることがわかります。ガリレオは、その矛盾に気づいただけでなく、実験でそれを証明しました。

1971年にアポロ15号の宇宙飛行士が、月で重いハンマーと軽い羽根を同時に落とす実験を行い、物体の落下速度は質量にかかわらず一定であるというガリレオの考えを実証しました。この動画はネットで見ることができます。

また、ガリレオは地動説を唱え、最終的に彼は裁判にかけられ、地動説を放棄する旨の誓いを命じられます。そこで「それでも地球は動く」と述べたのは伝説とされていますが、いずれにしても逆風の中で自説を主張する勇気には感動を覚えます。やはり、勇気が基盤にあることで、人は初めて本当の意味で知的になれるのです。

「難しさ」は「意味のない難しさ」と「意味のある難しさ」に分けられる

「難しい本」というときの難しさは、大きく二つのタイプに分類されます。一つは意味のある難しさであり、もう一つは意味のない難しさです。

意味のある難しさというのは、『存在と時間』や『ツァラトゥストラ』『資本論』といった、本書で取り上げているような世界的な名著の難しさです。名著は歴史的に評価も定着していますし、全世界に届くような強いメッセージも込められています。これらを読むことには大いに意義があるのだけれども、いざ読もうとすると独特なキーワードがあったり、テキストが分厚かったりしてなかなか手が出ません。こういった難しさと向き合い、読破しようとチャレンジすることは、人生の一つの大きな生きがいでもあります。

意味のある難しさを持った本が読みにくいのは、一つに自分の読解力や知識が不十分であることが挙げられます。いってみれば高くて美しい山に登るのに、体力や装備が足りていないようなもの。踏破するためには、それなりの準備が求められます。その代わり、一度読み解くことができれば感動も大きいですし、読めば読むほど味わいも深まります。

一方で、**意味のない難しさは、ただ難しいことが目的であるかのような文章の難しさです。**「大学入試の現代文で出題されるある種の評論文のような難しさ」と言えばわかりやすいでしょうか。

国語の入試問題では、文章に傍線が引かれ、「この部分が示す内容について、正しいのは次の選択肢のうちどれか」といった問題が出題されます。裏を返せば、誰もが一目瞭然で理解できる文章ではない、ということです。

実はかくいう私自身、難解な文章を書いていた時期があり、大学入試問題に拙文が使用される機会が多く、ある年度には出題数第一位になったことがあります。それを知って嬉しく思うどころか、反省したのを記憶しています。むしろ「大学入試に使われないような、もっと万人にわかりやすい文章を書こう」と決意したのです。

無意味な「難しさ」に付き合ってはいけない

私は、大学で現代文の読解の指導もしているので、難しい評論文はこれまで浴びるほど読み倒してきました。その中でも、東大の入試問題には比較的、意味のある難しい文章が多かったように感じています。わざとらしい難しさではなく、丁寧に読めばレベルの高い主張をしているのが伝わってくるのです。

たくさん読んでいるうちに私は気づきました。無意味に難しい文章の書き手は、素人である一般読者を脅して、自分の地位を守ろうとしているのではないか、と。人は、わからない言葉をたたみかけられると、ちょっと脅されたように感じて萎縮《いしゅく》します。そうやって読者を萎縮させておいて、優位な立ち位置から主張することで自分を強く見せようとしているわけです。

言い換えれば、無意味に難しい本の著者は、たいてい病気にかかっています。どんな病気かというと、難しく書かないとバカにされると思っている病、あるいは難しく書くことで自分の力を誇示したがる病です。

だから、意味のない難しさを持つ本が読めなくても、悲しむ必要はありません。むしろ著者を哀れむべきです。

「ああ、かわいそうに。物事を素直に言えず虚勢を張っている人たちなんだな」

そう思って、ちょっと距離を置けばよいのです。

海外の人文書が難しくなってしまう理由

前述したように、古今東西の名著には意味のある難しさがあります。では、こういった本は、どうして難しくなってしまうのか。理由は大きく二つに分かれます。一つは、原著を生み出した国や言語の特徴によるもの。そしてもう一つは、オリジナルな発見を披露しているから、というものです。

例えば、イギリス人やアメリカ人が書いた文章は、比較的わかりやすい印象があります。イギリスは経験主義（理論よりも経験を重視する考え方）の傾向があるせいか、簡単な内容を持って回って理屈っぽく記述することがありません。他の言語で書かれた哲学書を英訳したものを読むと、むしろ原著よりも読みやすくなることがあります。

村上春樹さんは、ベストセラーを連発する世界的な作家でありながら、アメリカ文学作品の翻訳を多数手がけていることでも有名です。レイモンド・チャンドラーの『ロング・グッドバイ』などの翻訳作品を読むと、いかにも「村上さんの文章だ」という感じがします。

村上さんが訳しているから、当然村上さんの文章には間違いないのですが、なんというか村上春樹の小説そのものみたいに思えるのです。私は村上さんの文体になじみがあるので、優れた比喩表現や、洗練された会話を楽しんでいるうちに、ぐいぐいと作品に引き込まれていきます。だから、チャンドラーが読みやすいのは村上さんのおかげということになります。

村上さんの訳をガイドに『ロング・グッドバイ』を原著で読むと、かなりわかりやすく進めます。そして、英語で書かれた文章は、複雑な感情を表現する場合も、比較的明快なものが多いと感じます。

一方で、フランス語で書かれた文章には、特有の難しさを感じます。フランスには一種の難解病があって、きらびやかな形容と複雑な文体を好む傾向があります。タイトルからして、何を言っているのかわからない雰囲気が出ています。

ドイツはドイツで、体系立った力感のある記述に特徴があります。哲学書は、単純に文章量も多く、まともに向き合うと討ち死にしそうな予感がします。

哲学の分野では、こういったフランスやドイツの哲学を学んで日本に紹介する人が多かったせいで、翻訳文体もややこしくなった可能性はあるでしょう。

フランス語やドイツ語で書かれた哲学書が難しいというとき、翻訳が悪いせいだと思って原著を読むと、やはり原著もそれなりに難しいケースが多々あります（本当に翻訳が悪いこともありますが）。それは、書き手が新しい知を手探り状態で開拓した証拠でもあります。書き手が思考の限界までチャレンジしている悪戦苦闘ぶりがそのまま文章に表れるので、のちの時代の私たちが読むと、難しく息苦しく感じられるわけです。

開拓者は、その先がどうなっているのかがわからないまま格闘を続けています。

「そんな岩盤をツルハシで砕かなくても、もっとこっちに通りやすい道があるのに……」といえるのは、後の時代に生きているから。最初に開拓したルートが曲がりくねって起伏のある道になるのは、ある意味では当然なのです。

例えば、フッサールの文章が難しいのは、まさに彼が現象学の開拓者だからです。フッサールの文章は難解ですが、もし彼がいなかったらどうなったのかと考えれば、現象学は誕生せず、メルロー＝ポンティも登場しなかったでしょう。

そういった歴史的功績に鑑みれば、開拓者の文章が難しいのは仕方がないと受け入れ、敬意をもってこちらから歩み寄る姿勢が大切なのです。

読めない原因がどこにあるのかを問う

上記にも関係しますが、難しい本を読めないというとき、「読めないからこの本はくだらない、価値がない」と断じる態度には感心しません。

否定したい気持ちを自分の心にとどめておくだけならまだしも、中には、堂々とネットのレビューで悪態をつく人もいます。たまたまその種の評を目にすると、「面白くなかったのかもしれないけど、そこまで言わなくてもいいのに」と思ってしまいます。

難しい本に出会ったときには、すぐに遠ざけたり否定したりするのではなく、まずは「なぜ難しく感じるのか」を探ってみましょう。難しさの正体を見極めるのです。

ごく単純化すれば、難しさの理由は「自分が悪い」と「相手が悪い」という観点から分類することも可能です。周りの友人が全員読解できているのに、自分だけ読解できない場合は、自分の読解力が足りない、勉強不足だと考えられます。つまり自分が悪いのですから、読み解くための努力をすればよいわけです。

もちろん、相手が悪いケースもあるでしょう。本当はやさしく書けるのに難しく書いているのは、書き手の怠慢です。しかし、この場合も批判するのではなく、寛大な心を持ってほしいのです。

このような気持ちで、自分から歩み寄ってほしいと思います。

「しょうがない。ちょっと自分が頑張って読み解いてあげよう」

本を読んだらアウトプットする

先述したように、大学に入ったばかりの新入生に、授業で『方法序説』『ツァラトゥストラ』『罪と罰』といった古典を読んでもらうという取り組みを行っています。**目標は、読んだ本の要旨が言えること。そして、重要な箇所は引用できるようになること。さらに、引用した文章について解説ができることです。**

具体的には、自分が気に入った箇所を6つ選んで引用し、なぜ重要だと思ったのかを、自分のエピソードを絡めてまとめてもらいます。A4一枚のレポートにまとめたら、それを学生同士で発表し合うことにもチャレンジしてもらいます。

そうすると、完全に学生の頭の中で『ツァラトゥストラ』が定着し、「ツァラトゥストラを読破した」という実感が得られます。ポイントは、ただ理解するだけでなく、理解した内容をアウトプットすることです。アウトプットを前提にすることで、しっかり理解しようとする意識も働くようになります。

難しい本を読み終わったら、せっかくなのでアウトプットをしてみましょう。まずは、勉強した内容について、その日のうちに周囲の人に話してみます。付け焼き刃と言えば、その通りなのですが、とにかく臆せず、ちょっとくらい自信がなくても発信することに意味があります。

私は、中学時代の友だちと、大学院を卒業するまで毎日のように、読んだ本について1日4~5時間にもわたって語り合う生活を続けてきました。お互いにアウトプットすると、知識が不確かだったところを確認できます。また、難しい本を読んだという達成感がさらに高まる効果もありました。二人で同じ本について話し合うことで、いい意味でプレッシャーがかかり、相乗効果で読解力を高めることができたのです。

人に話すときには、ユーモアを交えることも意識してみましょう。

そもそもユーモアは教養をもとにして成り立つものです。例えば、「尼寺へ行け！」というセリフが通じるのは、シェークスピアの『ハムレット』を読んでいる人だけです。古典からの引用は、一種のゲームのようなもので、特定のシチュエーションに最も適した「セリフ」や「たとえ」を口にする瞬発力が試されます。相手が引用元を知っていれば、面白がってもらえ、会話が知的に深まります。

また、周りの人に話すだけでなく、もっと幅広い読者に向けてSNSで感想を発信するのもよいでしょう。SNSなどで発信すると、自分の表現欲求が満たされ、知的な生物として生きているという手ごたえが感じられるようになります。

最初は、3行程度の箇条書きでもかまいません。感じたことを簡潔にまとめて投稿します。感想を書き残しておけば、後で読み返せます。

「なるほど、こういう内容だったのか」「あのときはこのくらいの理解だったのか」読み返したときに、こういった発見も得られます。

難しい本を読む7つの方法

［方法1］解説書に頼る

さて、ここからはもう少し具体的に難しい本を読むときのポイントを解説していきましょう。一つ目は、解説書の力を借りるという方法です。

初めての場所に行こうとするとき、私たちはグーグルマップのルート検索などを利用し、道順を調べることがあります。当たり前ですが、検索したルートにしたがって進めば、目的地にきちんと到着できます。一方、地図がない状態で、複雑に入り組んだ路地などを歩いていると、本当に目的地にたどりつけるのかと不安になります。

重要なのは、ルートを教えてくれる案内役を持つことです。『徒然草』には「少しのことにも、先達はあらまほしき事なり」で締めくくられる有名な文章があります。以下に内容をまとめます。

仁和寺の法師が、あるとき思い立って石清水八幡宮を参詣した。山の上の本殿まで行かず、ふもとにある寺を拝んで、これだけだと思って帰ってしまった。そして、仲間の法師に対して、「念願を果たして大満足です。それにしても、みんな山に登っていたのは、どういう理由なのかと思いました。ただ、私はお参りが目的だったので、山の上までは見ませんでした」と語った。

兼好法師は、このエピソードを受けて、「ちょっとしたことにも、案内役は必要なのだね」と書いているわけなのです。

これは難しい本にチャレンジするときにも、重要な示唆を与えてくれます。案内役がいるといないとでは大違い。案内役を持たずに難しい本を読もうなんて、無謀すぎます。

ここで案内役に相当するのが、解説書、入門書の類いです。

今の時代は、昔と比較して良質な解説書がたくさん刊行されています。新書を扱う出版社が増え、難しい本を解説する新書が増えました。しかも、今は新書自体が読みやすく、やさしい文章で記述されるようになっています。

それに加えて、古典的な名著を新訳で刊行し直すケースも目立ちます。新訳版では、訳文が読みやすくなっているのはもちろん、注釈やまとめなど、読者の読解を助ける工夫がこらされています。こういった解説を読むと、理解がスムーズになります。解説を丁寧に読んでおけば、原著を読むときに読み外しの心配がなくなります。いずれにせよ、100％の理解は難しいのですから、まずは最低限の概要を押さえるべきなのです。

海外の古典の訳本は何種類も刊行されています。その中で、最も相性の良い訳本を選び、なおかつ相性の良い解説書を選ぶ。最適な訳本と解説書を組み合わせれば、難しい本のハードルは一気に下がります。

［方法2］時代背景・著者の動機を理解する

知的誠実さに欠ける人は、すべてを自分の常識で考えます。だから、少しでも自分の常識から外れたものを読むと「意味不明」「バカみたい」などと頭ごなしに決めつけて拒否します。これでは視野が広がらず、知的に成熟するのは不可能です。

難しい本を読み解くには、それが書かれた当時の時代背景や常識を理解することも重要です。背景や常識を理解すると、作品の文脈が理解できるようになります。

例えば、マキャベリの『君主論』を現代人の感覚で読むと、ちょっと主張していることが厳しくてエグい、という感想を持ちます。ただし、当時の国家間の争いが激しかったイタリアで、君主がどう振る舞うべきかのアドバイスとして考えれば、「当時の君主は、きっとこういう感覚だったのかもしれないね」と受け入れられるようになります。

江戸時代中期ごろ、佐賀鍋島藩士《さがなべしまはんし》の山本常朝《やまもとつねとも》が武士の心得を書いた『葉隠《はがくれ》』などもそうです。この本を読むと、さまざまな切腹をめぐる状況が書かれていますが、今の常識で読むと「こんなことで切腹しなければならないの?」と思わされることばかりです。

例えば、娘が駆け落ちしたことで父と兄、家臣までもが全員切腹して辺り一面が血の海になった、というようなエピソードが出てくる。そんな話を聞くと、いかにも理解不能という感じがします。

けれども、当時の血なまぐさい時代状況を頭に置けば、「こういう考え方が普通だったんだ」と受け止められるわけです。

さらに、難しい本を読み解く上では、その本が何を目的として書かれているのか、あるいは著者の野心を把握することも大切です。

本を書く人間は、たいてい野心を持っており、自説を広く世界に問いたいと

考えています。その一所懸命に訴えかけようとする野心に注目し、彼らの魂の叫びに耳を傾けてみるのです。

人間の主張は、動機がわかればたいてい理解できるものです。

「相手を引きずり下ろしたい」という動機がわかれば、Aさんが執拗《しつよう》にBさんの陰口を言っている意味がわかります。陰口はあまりに卑近な例かもしれませんが、著者の動機や野心を理解できれば、本に書かれているさまざまな記述が急に腹落ちできるようになるのです。

例えば、マルクスは『資本論』の中で、資本主義がいったいどのような仕組みなのかを解き明かし、これからの世界で資本主義がどうなっていくのかを考察しました。

その背景にあったのは、労働者が報われずに苦しむ姿を目の当たりにして、その状況をなんとかして変えたいと思う正義感です。彼の正義感、社会を変えたいという動機をつかめば、『資本論』の記述が少しずつピンとくるようになるはずです。

もう一例を挙げると、ヘーゲルの『精神現象学』は、フランス革命という歴史的な出来事を背景に書かれた本です。

かつては人権や自由などという概念もなく、当たり前のように殺戮《さつりく》が繰り返されていた状態から、理性の力によって、お互いの自由を保障し合うことを宣言するところにまで到達しました。

ヘーゲル哲学には、そういった人類の発展に対する素直な感動があります。そしてその発展のプロセスを壮大なスケールで描きたいという野心がありました。この野心がわかれば、『精神現象学』の難解な文章にとっかかりが生じるのです。

［方法3］著者の「好き・嫌い」に注目する

著者の野心を理解することにも関係しますが、著者の好き嫌いに注目するというのも重要なポイントです。

私は以前、『「東大国語」入試問題で鍛える！　齋藤孝の読むチカラ』（宝島社）という本を執筆したことがあります。これは、東大の入試問題を取り上げながら、現代文を読み解く方法を解説した本です。

このとき発見したテクニックの一つが、「著者の好き嫌いに着目する」というものです。

著者が何を好き・嫌いだと思っているのか。特に「嫌い」という感情に

フォーカスを当てると、文章の読解が格段にラクになるのです。

例えば、フーコーの諸作品には、人間の自由を奪い抑圧するものに対する嫌悪感があります。フーコーは、今までのようなあからさまな権力とは違う、もっとミクロな権力が私たちの日常に入り込み、権力が浸透しているのに気づかないまま管理される状況に警告を鳴らしました。

フーコーは自らをニーチェ主義者であるといいます。ニーチェは人間の自立性や自由を主張した哲学者であり、人間を抑圧するもの、自由を奪うものと徹底的に闘う姿勢が共通しています。

フーコーが自由の問題に敏感だったのは、彼自身が同性愛者として差別に直面する機会があったのも一因だと考えられます。そういったフーコーの嫌悪感を理解すると、フーコーのどの著作を読んでも、彼の意図がつかめるようになります。

経済活動についての評論では、「国家が経済活動に介入するのが嫌い」というタイプの人もいれば、「個人の自由に任せて格差が拡大するのが嫌い」というタイプの人もいます。もちろん、そこまで単純に二分化するのは乱暴かもしれませんが、おおよその傾向というものはあるはずです。

思想家もやはり一人の人間ですから、「○○が好き、××が嫌い」という感情で生きていることが多く、自分と異なる主張をする人と激しく論争を戦わせる姿がしばしば見られます。そういった好き嫌いに基づく思想の傾向をいち早くつかんでおくと、難しい本を読み間違う心配はなくなります。

［方法4］肝になる部分だけしっかり読み解く

人体を倍率1000倍の顕微鏡で隅々まで見ようとすると、膨大な時間がかかります。顕微鏡で1時間見た後に、「さあ、人体の全体図を描いてください」と言われても無理でしょう。

全体像を把握したいのだったら、まずはレントゲン写真を撮ったほうが便利です。レントゲン写真で骨格を見れば、「人体ってこういうつくりになっているんだ」と一目瞭然です。

そう考えると、レントゲンの発明は非常に画期的なものでした。余計なものを排除して、骨格だけを見られるようにする。それを特許として独占せず、全世界で利用されることを望んだのも立派でした。

難しい本を読むときにも、このレントゲン撮影の発想が有効です。枝葉末節は切り捨て、まずは骨格だけを捉える。そういうイメージで読んでみるのです。

世の中には、エッセンスを捉えるのが非常に得意な解説者がいます。このような解説者は、思想家が最も主張したいことを的確に抽出し、読者に向けてわかりやすく提示してくれます。まるで思想家本人が、解説者に憑依《ひょうい》しているかのようです。だから、解説を聞いているだけで、難しい本の本質が理解できるのです。

有能な解説者は、マルクスを語るときにはマルクスに成り代わり、西田幾多郎《にしだきたろう》を語るときには西田幾多郎に成り代わってくれます。こういう才能を持った解説者を見付けて、その人の本を集中的に読むのも一つの方法でしょう。

分厚い本というと、「何日もかけて読むもの」という固定観念があります。しかし、実は厚い本こそできるだけ速く読むのが得策です。

例えば、私の授業では、4部構成の本なら、1日1部、トータル4日で読破する課題を学生に課しています。1日1部ペースにすると、勢いが出ます。ゴールから逆算してページをめくらなければならないので、わからないところは飛ばしつつ、理解できる部分には積極的に線を引いて、選択的に読み進められるようになります。結果的に、エッセンスだけを効率的に読み取れるわけです。

ちなみに、私はドストエフスキーの『罪と罰』をテキストに、小学生対象の授業をしたことがあります。

「では、今からこの作品の最高の場面をみんなで音読します」

音読するのは、クライマックスのシーン。殺人の罪を犯した主人公のラスコーリニコフが、ソーニャという娼婦に殺人の告白をします。ソーニャが彼に「一緒に十字架を背負いましょうね」と声をかける有名な場面です。たった数ページですが、クライマックスのシーンを音読すると、感動が伝わってきます。そこで私は、こう宣言します。

「ということで、これで『罪と罰』は全員読んだことがあるということにします。周りの人にも『罪と罰』は読んだことがあると言い切って大丈夫ですよ」

もちろん小説は1ページ目から読んで、小説世界に浸るものです。しかし、小学生に1ページから読んでもらうとなると、クライマックスまで行きつけません。

また1ページ目からすべて読んでも、数年後にはほとんど忘れてしまいます。しかし、クライマックスだけ音読していれば、いつまでも記憶に残りますし、そのシーンを人に話すこともできます。クライマックスを音読すれば、読了した気分になれます。いったん読了した気分になってから、他のページを読み進めるのもアリです。

このクライマックス場面には迫力があり、小学生は授業後、「ソーニャって精神的に強いね、先生」と話しかけてきたりします。

生涯ドストエフスキーを読まない人生と比べて、文学的に豊かな経験がクライマックス音読でできるのです。

いずれにしても、先にエッセンスを押さえておけば、こわいものはありません。

［方法5］キーワードを攻略する

難しい本の多くには、独特の用語、キーワードが出てきます。

例えば、ハイデガーの『存在と時間』には「現存在」「世界内存在」といった用語が使われています。ハイデガーは人間のことを指して「現存在」と呼んでいます。

「そうやってわざわざ耳慣れない言葉を作るから、難しくなるのでは?」

そう言いたくなる気持ちはわかります。

しかし、やはりキーワードには重要な意味があります。彼らはどうしても伝えたいニュアンスがあるからこそ、わざわざ造語を作っているわけです。キーワードは、著者の知的なチャレンジ、あるいは知的誠実さの一つの表れでもあるのです。

ですから、読者の皆さんが難しい本を読むときには、キーワードを押さえることに注力してください。

大学生だったころは、難しい本を読んで、その本に出てきた用語を使って友だちと会話をするという「ゲーム」をよく楽しんでいました。

喫茶店で「現象学的還元」とか「世界内存在」といった言葉だけを使って、現象学を知らない人にはまったくわからない会話を行っていたのです。喫茶店ですから、隣の席ではごく普通のサラリーマンやご老人などがコーヒーを飲んでいます。その人たちが、「この学生は、いったい何の会話をしているんだ？」という胡乱《うろん》な目でこちらの席を見ていたのを記憶しています。

キーワードは慣れが肝心であり、一度理解して繰り返し使っているうちに、それが当たり前になってきます。**キーワードが理解できると、その思想家の本質がつかめたという感触があります。**

キーワードを一切無視して難しい本を理解しようとすると、かえって本質を見失うおそれがあります。たとえば、「超人」も「永劫回帰《えいごうかいき》」も使わない『ツァラトゥストラ』の解説書を読んだら、単なるポジティブ心理学を読んだような読後感になりそうです。

「くじけずに生きろ」「常に前向きでいこう」

そんな解説を聞かされても、他の自己啓発書と変わるところがなくなってしまいます。

文章は要約するとわかりやすくなる反面、原文の香りが抜けてしまうことがあります。

ですから、解説書を読むときには、できるだけ原著を引用しているものに触れるのがお勧めです。原著に出てくるキーワードを理解する、キーワードを使って話せるようになる。目安としては、一冊読んで5～10個くらいはキーワードを使いこなせるようになりたいところです。

〔方法6〕3色ボールペンを使いながら読む

例えば、『精神現象学』のような分厚く難解な本を、解説書の力を借りながら読むとしましょう。

まずは解説書を一通り読んで、『精神現象学』のエッセンスをつかみます。そのとき、解説書の中で、原著（日本語訳）が引用されている箇所に注目します。多くの場合、解説書には『精神現象学』の文章が引用されていて、引用↓解説という形式で記述されています。

そこで、解説書で引用されている箇所を見付けたら、原著の該当ページを探し、そこにボールペンで赤線を引きます。それを一冊通して行うと、原著の重要なポイントに一通り赤線が引かれたことになります。改めて、パラパラ本をめくってみると、なんとなく原著を読んだ感が出てきます。

「ただ赤線を引いただけじゃないの」と思われるかもしれませんが、線を引く行為にはあなどれないものがあります。

解説書は読んでいますから、線を引いた箇所に書かれている内容は、なんとなく理解しています。一冊通して、重要な箇所をなんとなく理解しているだけで、不思議と原著をマスターしたような気になれるのです。

むしろ『精神現象学』を1ページの1行目から丁寧に最後まで読み通すとなると、膨大な時間がかかりますし、他の難しい本を読む時間がなくなります。解説書とリンクした部分に線を引いて、「わかった気分」になるだけでも、難しい本に一切触れない人に比べて、はるかに教養が深まったと誇るべきでしょう。

ちなみに、私はさまざまな自著で3色ボールペンを活用した読書法を提案しています。「最重要」と思う文章には赤、「まあ重要」と思う文章には青、「面白い」と感じた文章には緑のペンで線を引いたり、キーワードを丸で囲んだりする方法です。

まずは、青と緑を中心に自由に線を引いてみて、後から重要なポイントを赤でチェックするほうがやりやすいかもしれません。ぜひ、試してみてください。

［方法7］著者の主張に耳を傾ける

「郷に入っては郷に従え」ということわざがあるように、**本を読んでいる間は、その著者の主張に対して虚心坦懐《きょしんたんかい》に耳を傾けることが大切です。**

例えば、マルクスとエンゲルスの共著である『共産党宣言』は、「万国のプロレタリアートよ団結せよ！」という主張で締めくくられています。彼らは、歴史は階級闘争であり、資本主義社会を打倒するためには全世界の労働者が団結しなければならないと語っています。

ここでは歴史認識の是非はいったん置いておいて、彼らの主張を受け入れることが大切です。マルクスを読んだときには「なるほど、そういう歴史観ってあるよね」と理解し、また別の思想家を読んだときには、「こういう歴史観もあるのか」と受け入れる。**知的寛容さを持てば、そうやって複数の歴史観を同時に住まわせることができます。**

知性を排除すると、「〇〇主義しかありえない」と凝り固まります。何かの主義者になると、何を語っても同じ主張を繰り返すようになり、周りの人たちと穏当に会話をするのが難しくなります。ですから、まずはいろいろな思想家の思想に触れ、いったん著者の主張を受け入れるように心掛けましょう。

読者の中には、難しい本を前にすると「どうしてこんなややこしい書き方しかできないんだ」と憤りを感じてしまう人もいることでしょう。そうやってプリプリしながら怒りをエネルギーにして読み進めるのもテクニックの一つですが、私はどちらかというと、著者の主張をいったん全面的に受け入れる読み方をお勧めしています。

言ってみれば「イタコ読み」です。**自分に憑依したような気分で、著者の主張を受け入れ、それを周囲の人にも教えてあげるのです。**

今、普通に暮らしている社会人には、ヘーゲルやハイデガーの主張はなかなか届かない状況があります。しかし、もし自分がヘーゲルのイタコ役をすれば、ヘーゲルの魂の声を周りの人に届けることはできます。そういう、ちょっとした使命感を持つと、著者の主張を素直に受け入れられるはずです。

第2部

難しい本の読み方「実践編」

ゲオルク・ヴィルヘルム・フリードリヒ・ヘーゲル

『精神現象学』

（長谷川宏訳／作品社）

『精神現象学』を読む前に

ゲオルク・ヴィルヘルム・フリードリヒ・ヘーゲル（1770〜1831）はドイツの哲学者。ドイツ南部のシュトゥットガルトの中級官吏《かんり》の家に生まれ、学識に優れた子ども時代を過ごしました。18歳でテュービンゲンの神学校に入学し、哲学や神学を学びます。卒業後は、スイスで家庭教師となり、独自に研究を続けたいわば叩き上げの学者です。

1801年にイエナ大学の私講師となり、37歳のときに最初の主著である『精神現象学』を刊行します。その後は、新聞編集者の職を経て、ギムナジウム（中等教育機関）の校長となりました。

1816年にハイデルベルク大学の教授となったときは46歳であり、『哲学体系』『法哲学』などの著作を発表。コレラによって61歳の生涯を閉じています。

『精神現象学』というのは、難しい本の中でも最も難解な部類に入る一冊です。難解になった理由はさまざまありますが、非常に抽象度が高いことが大きな要因といえます。

まず、この難解な本を読むに当たって私が選んだテキストは『精神現象学』（長谷川宏訳、作品社）です。約560ページもあり、4800円（税別）と、なかなか高価です。購入を躊躇する人も多いと思いますが、自宅の書棚に『精神現象学』を一冊置くと、書棚に一気に風格が出て、室内の空間が知的になるのを実感できると思います。

訳本の理解を助ける参考書としては、まず、翻訳者である長谷川宏《はせがわひろし》さんが書いている『ヘーゲル『精神現象学』入門』（長谷川宏著、講談社選書メチエ）が便利です。この本の魅力は、長谷川さんが自らの訳文を引用しながら、それぞれ個別に解説してくれているところです。長谷川さんはヘーゲル翻訳革命ともいわれる画期的な翻訳をされた方で、その翻訳がいかに困難だったかも記しています。

この解説書には翻訳書の該当ページ数も記載されているので、まず解説を読んでから、対応する翻訳書のページに3色ボールペンで線を引いたり四角で囲ったりしてみましょう。すると、ところどころ理解できる部分が増えていきます。

他には、『超解読！　はじめてのヘーゲル『精神現象学』』（竹田青嗣、西研著、講談社現代新書）という本もあります。この本には章末に「章末解説」というまとめの記述があり、そこだけを先に読むと、おおよそ概念的なところが把握できます。

わたしたちの時代が誕生の時代であり、新しい時節への移行の時代であることを知るのは、むずかしいことではない。精神はこれまでの日常世界と観念世界に別れを告げ、それを過去の淵に沈め、変革の作業にとりかかっている。（……）現体制のうちに無分別や退屈の要素がまぎれこみ、わけのわからない感じが漠然と広がるとき、それが別の世界の到来を告げる前兆なのだ。（『精神現象学』長谷川宏訳／作品社／7頁）

『精神現象学』は壮大な試みである

超難解な本である『精神現象学』で、ヘーゲルはいったい何を書いているのか。『超解読！　はじめてのヘーゲル『精神現象学』』（竹田青嗣、西研著、講談社現代新書）では、それをはっきり提示してくれています。

> 『精神現象学』を貫く全体的なモチーフは何だろうか。一言で言えば、それを「自由のゆくえ」の問いと呼ぶことができる。（……）〈共同体から切り離された自由な個人となったときに、人は、他者・社会・自己に対してどのような態度をとっていけばよいか〉——これこそが『精神現象学』のなかで問われている最大の問いなのだ。（『超解読！　はじめてのヘーゲル『精神現象学』』5〜7頁）

近代以前には、例えば「将来どんな職業に就こうかな」などと考える自由な個人はほとんど存在しませんでした。共同体のルールに従って生きるのが当然だったからです。それが近代になると、共同体から自由な個人が増えてきました。そこで**ヘーゲルは、自由**

な個人が取り得る態度を問うているというのです。

しかもヘーゲルは、「精神」が個人において発展していくだけでなく、歴史や世界を動かす「駆動力」のようなものであるといいます。ですから、彼が『精神現象学』という本で行っているのは「全人類史を通して精神の成長を描く」という壮大な試みです。

まえがきで「わたしたちの時代が誕生の時代」「新しい時節への移行の時代」などと書いているのは、『精神現象学』の出版がフランス革命からわずか18年しか経過していないこととも深く関係しています。

1776年のアメリカ独立宣言、そして1789年のフランス革命によって人類の人権意識は非常な高まりを見せました。そうした人権意識は私たちの日本国憲法にも流れ込んでおり、現代に生きる私たちは、自由や人権を基盤として社会が成り立っているのを当たり前のように受け入れています。

しかし、そこに至るまでには、長い闘いがあったことを忘れてはなりません。闘いの中で精神が成し遂げてきた偉業を正当に評価する、近代の素晴らしさを讃《たた》える。こういったスタンスで読むのが『精神現象学』という本なのです。

意識のなかで、自我と自我の対象たる共同体世界とのあいだにずれが生じるとき、そのずれは共同体世界を分裂させる否定的なものである。だから、ずれのあることは対立する両極の欠陥と見ることもできるが、じつは、両極を運動へと誘う原動力なのである。（……）否定的なものが自我と対象のずれとしてあらわれるとき、それは、共同体世界そのものの内部に生じたずれにほかならない。共同体世界の外で起こり、そこから共同体世界に働きかけるかに見えるものが、じつは、共同体世界そのものの行為であって、となると、共同体世界は本質的に主体であることがあきらかになる。（『精神現象学』23〜24頁）

ヘーゲルの歴史観を知っておく

ヘーゲルというと「弁証法」という言葉をイメージする人が多いでしょう。弁証法とは、ある意見と反対意見との対立と矛盾を通じ、さらに高いレベルの認識に至る発展的な思考法のこと。この弁証法を繰り返すことで、人間の意識は最高段階（「絶対知」といいます）に到達できると考えました。

ここにあるように、**ヘーゲルの弁証法では「否定的であること」が重視され、強調されています。**これは「状態が変化する」というイメージで捉えたほうが近いと思います。植物の種が否定されて芽が出て、芽が否定されて茎や葉となり、茎や葉が否定されて花になる……という具合です。否定がネガティブなものでないことは、長谷川宏さんも解説しているとおりです。

共同体の分裂は外からもたらされるのではない。分裂を引き起こす力が内部にあるからこそ共同体は分裂するのであって、しかも分裂することは共同体にとってけっして忌《い》むべきことではない。むしろ、分裂があるからこそ共同体は主体として存在しうるのであって、分裂は共同体に生命を吹きこむ力なのである。
そう考えるのが、ヘーゲルにおける社会の弁証法というものであった。(『ヘーゲル『精神現象学』入門』25～26頁)

ヘーゲルにとって考えることは否定に次ぐ否定であり、そうした弁証法はメルロー＝ポンティなどにも影響を与えています。

そしてヘーゲルによれば、前述したように**歴史も弁証法によって理想のあり方に近づいていく**ことになります。ヨーロッパの歴史でいえば、古代は奴隷制の時代であり、中世には教会が絶大な権力を握るようになり、絶対王政、市民革命を経て共和制へと移行します。その過程で奴隷制が廃止され、教会からの自由が志向され、絶対王政が打倒され……と、自由が獲得されてきました。ヘーゲルはナポレオンの登場に歴史の進化を感じとり「世界精神が馬に乗って通る」ともいっています。

「現代はあらゆる面で過去より進化している」と言われると、疑問に思う人もいると思いますが、確かに、人類の歴史は少しずついい方向に向かっているものだと思います。

主人に服従しているとき、自主・自立の存在は他者として自分のむこうにある。恐怖のなかで、自主・自立の存在がわが身に感じられる。物を形成するなかで自分が自主・自立の存在であることが自覚され、こうして、自主・自立の過不足のないすがたが意識にあらわれる。物の形は外界に打ちだされるが、といって、意識と別ものなのではなく、形こそが意識の自主・自立性の真のすがたなのだ。かくて、一見他律的にしか見えない労働のなかでこそ、意識は、自分の力で自分を再発見するという主体的な力を発揮するのだ。（『精神現象学』137〜138頁）

主人と奴隷の弁証法

さて、ここからは、『精神現象学』の有名な箇所を選択的に読むことにしましょう。例えば、「主人と奴隷の弁証法」についての記述です。

ここでは「労働のなかでこそ、意識は、自分の力で自分を再発見するという主体的な力を発揮する」の部分だけわかれば十分です。長谷川さんはこう解説しています。

主人との関係のなかでは隷属する位置にある奴隷が、労働するものとして物にむきあうときには、物を自由にあつかい、物のうちにおのれの自由や自主性を投影できる。それは、主人のあずかり知らぬ、奴隷だけに経験できる自由である。（『ヘーゲル『精神現象学』入門』132頁）

例えば、奴隷が主人から命令されて農作業をしていたとしましょう。奴隷は自律的ではなく、他律的な労働をしています。ただ、実際に作業する中で、奴隷は自由や自分の力を実感することができます。一方で、何もせずに見ているだけの主人は、収益は上がるかもしれませんが、自分の主体性を発揮したことにはなりません。

もっとリアルな例に引き寄せて考えてみましょう。友人たちとキャンプに行くとしましょう。そこで、「あなたは何もしなくていいです。ただみんなの仕事を管理して、完成したカレーでも食べるだけでいいです」と言われたらどうでしょう。ちょっとキャンプが味気ないものになってしまうのではないでしょうか。

やはり、キャンプの醍醐味は、自分で火を起こしたり料理を作ったりするところにあります。もちろん、キャンプで作業をするのと奴隷労働は別物ですが、労働の喜びを知るという点では共通しています。

そう考えると、キャンプに行って上げ膳据え膳で過ごすというのは、支配者のようでいながら実は主体性を失っていると考えられます。つまり、「主人と奴隷の弁証法」というのは、本来は支配される側の奴隷が主体性を獲得してしまう、真の自由に近づいている状況を表しているのです。

このように、キャンプの例などを出しながら誰かに「主人と奴隷の弁証法」を説明できると、「『精神現象学』を知っている」という実感がわいてきます。

自己意識と自己意識が対峙している。それこそが自己意識の本当のありかたなので、ここにはじめて自己意識は他なる存在のうちに自己の統一が成立するのを見ることができる。(……)そこにはすでに「精神」というものの構図があらわれている。以下で展開される意識の経験は、世界の絶対的な本体たる精神とはどんなものか、それをあきらかにしていくものである。それは、独立に存在するさまざまな自己意識が、完全な自由と自立性をもって対立しつつ、そこに統一がなりたつような経験であり、「われ」が「われわれ」であり、「われわれ」が「われ」であるような経験である。(『精神現象学』127~128頁)

人と人との関係

「精神」は、普通に考えると私たち個人のものと捉えられますが、ここではどうやら人と人との関係を「精神」といっているようです。「自分の中にだけ精神や自己意識が成立していて、他人のことはどうでもいい」という考えは間違っている。**自分が自己意識を持っているなら、相手も自己意識を持っている。自己意識と自己意識が向き合っているのが、本当の在り方である。**そんなことが書いてあります。

そう解説されると「当たり前では？」と思われるかもしれませんが、歴史をさかのぼれば他人の自己意識を認めない、人が簡単に殺されてしまうような時代もあったわけです。

今、みんなの主体性が尊重されているのは、法律でそのように定められているからです。その法律が成立していくプロセスが、ヘーゲルのいう理性の発展段階でもあるのです。長谷川さんの解説に譲りましょう。

ヘーゲルの「精神」といえば、雲の上にそびえたつもの、あるいは、世界に遍満するもの、といったイメージがすぐにも思いうかぶが、それが、ここでは「われ」と「われ」が

むきあうというごく日常的な場に引きよせて考えられていることに注目したい。（『ヘーゲル『精神現象学』入門』124頁）

『精神現象学』というと、抽象的な言葉で世界をこねくり回しているようで、およそ日常からは隔絶しているようなイメージがあります。もちろん抽象的なのはその通りなのですが、丁寧に読み解けば、「『われ』が『われわれ』であり、『われわれ』が『われ』であるような経験はある」と日常に引きつけて理解できる部分があります。

さらに、長谷川さんは「むきあう相手が、たんなる生命体を超えた精神的な存在であり、むきあう二つの自己意識が、自分をも相手をも自由で自立した存在だと捉えるその心の動きを、ヘーゲルは『承認』と名づける」と解説しています。

今は「承認欲求」という言葉もよく使われますから、理解しやすい説明だと思います。ヘーゲルはみんなに対して承認を行う社会が近代社会である、と考えました。それがアメリカ独立宣言とフランス人権宣言にも反映されているということです。のちにヘーゲルは承認の難しさにも言及していますが、人類の成果を哲学的なアプローチから捉えていることがここからもうかがえます。

ここで個人に価値と現実性をもたらすものこそ、「教養」である。個人の根源的な本性と本体は、自然のままのありかたを疎外していく精神である。この外化は個人の目的であるとともに個人の生活そのものでもあり、同時にまた、頭のなかにある本体が現実にむかう手段ないし道筋であるとともに、特定の個人が社会的存在へとむかう手段ないし道筋でもある。特定の個人は教養を通じて本来の自分になり、教養を通じてはじめて本当の個人として現実に存在するものとなる。教養のゆたかさに応じて、個人としての現実性と力も増していくのだ。（『精神現象学』334〜335頁）

ヘーゲルのいう「教養」を理解する

日常に引きつけて理解するという意味では、「教養」に言及したこの箇所も理解しやすいと思います。「教養を通じて本来の自分になる」「社会的存在になる」というのは、感覚的に同意できそうです。

ここで「疎外」という言葉にちょっと注目してみましょう。疎外には「よそよそしくする」「排除する」といった意味があり、ネガティブな響きがあります。しかし、ヘーゲルは「自分自身を疎外することで社会性が獲得される」といった内容のことを語っています。冒頭で、ヘーゲルが自由な個人が取り得る態度を問うているといったのを思い出してください。

ヘーゲルは共同体から離れた個人が、再び共同体的な個人になるために自分を疎外していくといっています。そこにはポジティブさが感じられます。

実は、その疎外を可能にするのが教養の力です。教養というと現代の私たち日本人は「豊かな知識を身につける」というイメージで理解していますが、ここでいう教養はもっと社会的な性格が強いものなのです。

どうしようもなくさまざまな意識がまつわりつく精神の形成の運動は、知において完結する。そこに至って、精神はその存在の純粋な地平たる概念を獲得するのだ。精神の自由が行きわたったこの段階では、おのれを外化する自己がおのれの知と直接に一体化して、それが知の内容となる。（……）かくて、概念を獲得した精神は、概念という生きたエーテルのなかで存在の運動を展開するので、それがすなわち「学問」である。（『精神現象学』５４６頁）

この精神の王国の酒杯《さかづき》から
精神の無限の力が沸き立つのだ。（５４９頁）

ヘーゲルの提示した理想は実現していない

さて、前述したように、ヘーゲルは『精神現象学』において、人間の意識が「絶対知」という最終到達点に至ると述べています。

そして、「学問」はただなんとなく教室で先生の話を聞いたり、テストを受けたりするようなものではない、概念を獲得して運動していくものである、とも書かれています。

そして、『精神現象学』の最後はシラー（1759〜1805、ドイツの詩人・歴史学者）の詩2行で締めくくられます。

「この社会は、学問という知の運動によって作られてきたんだよ」

「大事な知の運動を続けていこう」

つまみ読みであっても、最後まで読み通すと、こうしたヘーゲルのメッセージが少しはつかみ取れるはずです。

2020年、アメリカで黒人男性が白人警官に首を圧迫された事件をきっかけに、抗議デモが全米を越えて世界に広がる出来事（Black Lives Matter（ブラック・ライブズ・マター））が起こりました。

これはまさに精神の形成の運動であり、運動を通して、人が人種によって不当に差別されたり殺されたりしなくなる社会の実現が目指されています。アメリカ独立宣言、フランス人権宣言では、人間の自由と平等が謳《うた》われましたが、「こうあるべき」という理想が示されただけで、２０２１年の今も完全にそれが実現したわけではありません。

アメリカでは、白人が黒人を自由で自立した存在だと認める「承認」がまだ十分には行われていないと考えると、ヘーゲルの語る概念が今でもまだ使えることがわかります。

広く世界を見渡すと、国民の主体性を奪っている国家があります。そういった現実を報道などで見聞きすると、ヘーゲルが『精神現象学』で描いた希望に満ちた世界はまだ実現しておらず、「運動」が今も現在進行形で続いているのだと改めて実感します。

私たちは、ヘーゲルが語る運動を続けていかなければならない。『精神現象学』は、そんな思いにさせられる本でもあるのです。

カール・マルクス
『資本論』
（向坂逸郎訳／岩波文庫）

『資本論』を読む前に

カール・マルクス（1818～1883）は、ドイツ生まれの思想家・哲学者。ボン大学からベルリン大学に転校し、法律と哲学を学びましたが、のちに「ヘーゲル左派」と呼ばれる哲学者たちの影響を受け、左派思想に目覚めます。

ただ、当時のプロイセン政府が言論統制を強化したこともあり、マルクスは大学に残ることをあきらめ、「ライン新聞」のジャーナリストとして活動するようになります。ところが、新聞への検閲が強化され、新聞は廃刊を余儀なくされます。彼はパリに転居し、雑誌を刊行しますが、やはり発禁処分の憂き目にあってしまいます。

その中で救いとなったのは、フリードリヒ・エンゲルスとの出会いでした。マルクスはエンゲルスのサポートを得て、『ドイツ・イデオロギー』という著作を執筆。独自に社会のあり方を構想していきます。

その後は、1849年にロンドンに移り、経済学の研究を続けました。その中で執筆したのが『資本論』第一巻です。**実はマルクスが書いたのは、全体のほぼ半分にあたる第一巻「資本の生産過程」だけ。第二巻と第三巻は、エンゲルスがマル**

クスの死後に遺稿を整理、編集して刊行したものです。

さて、『資本論』はソビエト連邦や中華人民共和国などの共産主義国誕生にも影響を与えるなど、歴史を動かした大変な本です。日本でも、戦後の学生にとって必読書のように扱われた時期がありました。しかし、ソ連が崩壊したころから、『資本論』はほとんど見向きもされなくなってしまいました。

そんな中ここに来て、『資本論』は再び息を吹き返しつつあります。資本主義の行きすぎが富の偏在を加速し、多くの人が疑問を持つようになったからです。

今、世界のトップ20人くらいの人が、世界の半分くらいの富を独占しているといわれ、格差が極端に拡大しています。そんな中にあって、資本主義の暴走を構造的に分析、予知したマルクスに注目が集まっているわけです。

本書では、向坂逸郎《さきさかいつろう》氏訳『資本論（一）』（岩波文庫）をテキストとしますが、それをいきなり直接読むのではなく、解説書を中心に読み解いていく方式を提案します。解説書としてお勧めするのは『マルクス　資本論』（佐々木隆治著、角川選書）、私が監修した『1分間資本論』（SBクリエイティブ）です。

資本主義的生産様式の支配的である社会の富は、「巨大なる商品集積」として現われ、個々の商品はこの富の成素形態として現われる。したがって、われわれの研究は商品の分析をもって始まる。（『資本論（一）』向坂逸郎訳／岩波文庫／67頁）

なぜ「商品」を理解しようとするのか

『資本論』は、岩波文庫版では全9冊を数える大部のテキストです。文章も難解ですから、素直に1ページ目から挑むと、途中で行き倒れる可能性が大です。

そこで『資本論』については、とにかく解説書を頼りに、マルクスが語っている内容をクリアに理解することを目的とします。

まず、**最初の一文でマルクスは「資本主義の世の中で、すべてのものは商品である」という意味のことをいっています。**

確かに私たちは食べ物や着る物、各種のサービスなど、さまざまな商品に囲まれています。そしてお金を出して商品を買うことで、当たり前のように生活しています。

実は、このように生活の中に商品があふれ、お金を出して商品を買うという生活は、資本主義社会と呼ばれる社会が成立したことによって実現したものです。

原始時代の人たちは自分たちで狩りをして動物の肉を手に入れたり、果物を収穫したりして食べ物をまかなっていました。洋服も獣の毛皮などで手作りしていました。自分たちで作ったものを売っていたわけではなく、つまり商品ではありませんでした。資本主義社会が成立することで、私たちは商品に囲まれる生活を送るようになったわけです。

マルクスは「**商品はまず第一に外的対象である**」「**人間のなんらかの種類の欲望を充足させる一つの物である**」とも書いています。

商品が人間の外部にある、というのは素直に受け取れば大丈夫です。そして、食欲を満たすために食料という商品を買う。お洒落をしたいからブランドの洋服を買う。これも、実感に照らし合わせれば理解しやすいでしょう。マルクスは商品がどうやって欲望を満たすのかは問題ではなく、商品を知れば資本主義社会を理解できると主張しています。佐々木《ささき》隆治《りゅうじ》さんの解説を引用します。

> 私たちが生産し、消費しているさまざまな富が商品という形態をとっていることが、資本主義社会に固有なさまざまな現象を生み出す根本原因になっていると言えるでしょう。だからこそ、マルクスは、私たちの生きる社会を特徴付けている、この商品という富の形態から考察を始めよう、というのです。（『マルクス　資本論』（佐々木隆治著／角川選書／37頁）

一つの物の有用性（……）は、この物を使用価値にする。（……）われわれがこれから考察しようとしている社会形態においては、使用価値は同時に――交換価値の素材的な担い手をなしている。（『資本論（一）』68～69頁）

一つの使用価値または財貨が価値をもっているのは、ひとえに、その中に抽象的に人間的な労働が対象化されているから、または物質化されているからである。（74頁）

「使用価値」と「交換価値」

次に「使用価値」「交換価値」という言葉について見ていきましょう。

「使用価値」とは、文字通り、使用することによって欲望を充足させる有用性のこと。

例えば、レストランでパスタを食べるというのが商品の使用です。食べてお腹が満たされたことが使用価値です。本を読むことで「知識を得たい」という欲が満たされます。マッサージのサービスを受けることで「疲れをとりたい」という欲が満たされます。商品は人間の欲望を満たすことで価値を持つということです。

なお、マルクスは「商品体自身が使用価値または財貨である」といっています。商品そのものも使用価値になるのです。

そして、使用価値である商品には「交換価値」もあると書いてあります。

例えば、魚を持っている人が肉と物々交換をする場面を想定しましょう。どうして交換が成立する（交換価値がある）かというと、それぞれ食べることで腹を満たすという使用価値があるからです。

もちろん、商品それぞれに使用価値が違うので、必ずしもある商品1個と別の商品1個が同じ価値を持つとは限りません。ただ、ミカン5個と文庫本1冊という具合に、商品の量を変えれば交換が可能となります。あらゆる商品は使用価値を通してイコールでつなぐことができるのです。

では、商品の使用価値が違っていても、量を変えれば交換できるのはなぜなのか。そこには何か共通するものがあるのではないかとマルクスは考えました。そして、「商品体に残る属性は、ただ一つ、労働生産物という属性だけである」といいます。つまり共通点は「人間の労働」であるというのです。

パスタも本もマッサージも、人間の労働で作り出されているという点では共通しています。「大根は自然環境が作ったんじゃないの?」と疑問を持たれるかもしれませんが、それを畑で育て収穫して流通させるにあたっては人間の労働が関わっています。

だから、人間の労働が介在することで、商品は使用価値や交換価値を持つのです。マルクスは、商品の価値は人間の労働量によって決まるという「労働価値説」を唱えました。マルクスが人間の労働を尊んでいるのは見逃せないポイントです。

人は、何はともあれ、これだけは知っている、すなわち、諸商品は、その使用価値の雑多な自然形態と極度に顕著な対照をなしているある共通の価値形態をもっているということである――すなわち、貨幣形態である。（『資本論（一）』89頁）

ここでは、二種の異なった商品AとB、われわれの例でいえば、亜麻布と上衣とは、明白に二つのちがった役割を演じている。亜麻布はその価値を上衣で表現している。上衣はこの価値表現の材料の役をつとめている。第一の商品は能動的の役割を演じ、第二の商品は受動的のそれを演じている。第一の商品の価値は、相対的価値として表わされている、言いかえると、第一の商品は相対的価値形態にあるのである。第二の商品は等価として機能している、すなわち等価形態にあるのである。（90〜91頁）

「金と銀はほんらい貨幣ではないが、貨幣はほんらい金と銀である」ということが、それらのものの自然属性とその機能との一致を示している。（160頁）

「貨幣」の誕生を確認しておく

前項の「使用価値」と「交換価値」に引き続き、読者の皆さんには解説書に沿いながら順を追って丁寧に理解していただきたいのですが、本書では、少し端折って「貨幣」について触れておきます。

商品は、さまざまな使用価値を持っているけど、お互いをイコールで結ぶことができる商品がある。それが貨幣だ、といっています。マルクスは「亜麻布20エレ（1エレは約66・7センチ）＝上衣1着」と表現するときの価値形態を考えます。佐々木さんの解説を引きます（ここでは亜麻布が「リンネル」となっています）。

> すでに述べたように、「二〇エレのリンネル＝一着の上着」という等式においては、二〇エレのリンネルの価値が、一着の上着によって、相対的に表現されています。このように他商品によって相対的に価値が表現される側の商品（ここではリンネル）は「相対的価値形態」にあると言います。他方、価値表現の材料となる側の商品（ここでは上着）は、価値を表現される側の商品（リンネル）に「値するもの」としてその商品（リンネル）に

> 等置されているので、「等価形態」にあると言います。そして、この「等価形態」にある商品（上着）のことを「等価物」と言います。わかりやすくいえば、値札が貼られている側の商品が「相対的価値形態」にあり、値札に書き込まれている側の商品が「等価形態」にあるということです。（『マルクス　資本論』72～73頁）

「相対的価値形態」「等価形態」というキーワードが理解できたでしょうか。この図式が他の商品にも応用されることで「亜麻布20エレ＝上衣1着＝茶10封度《ポンド》＝コーヒー40封度＝小麦1クォーター＝鉄1／2トン＝A商品X量」という具合に、亜麻布20エレはあらゆる商品と交換できるようになります。ここで亜麻布は「貨幣商品」として機能するようになるわけです。

そして、この等式に「＝金（銀）○グラム」が加わります。金や銀は小さくて持ち運びに便利ですし、長期間保存しても腐りません。質も安定していて、加工できるメリットもあります。

交換をする上で、金や銀が一番便利であることがわかった。そこで商品の一つであった、金・銀が貨幣としての役割を果たすようになっていったのです。

商品の交換過程は、こうしてつぎのような形態変化をなして遂行される。

商品—貨幣—商品

W—G—W（『資本論（一）』188頁）

商品価値の商品体から金体への飛躍は、私が他のところで名づけたように（……）、商品のSalto mortale〔生命がけの飛躍〕である。（188頁）

最初に前貸しされた価値は、流通において自己保存をするだけでなく、ここでその価値の大いさを変化させ、剰余価値を付加する。すなわち、価値増殖をなすのである。そしてこの運動が、この価値を資本に転化する。（262頁）

知っておきたい「剰余価値」というキーワード

「剰余価値《じょうよかち》」というキーワードも確実に押さえておきたいところです。

マルクスは、亜麻布20エレを市場で2ポンドに交換した人が、この2ポンドで家庭用聖書と交換する事例を挙げます。商品が貨幣になって、再び商品になった。この交換過程をW―G―Wという式で表します。

Wはドイツ語で商品という言葉の頭文字であり、Gはお金の頭文字です。社会は分業で成り立っています。ある商品を作った人が、商品を売ってお金を手にし、そのお金で何か別人が作った商品を買います。こういったW―G―Wが社会全体で繰り返し行われるようになります。

マルクスは、商品が貨幣に換わることは「生命がけの飛躍」、つまり大変なことであるといっています。売れない商品を持っている人は苦しむことになるからです。

さて、W―G―Wが繰り返し行われていくうちに、G―W―Gをやる人が出てくるようになります。まず手元に持っているお金があり、そのお金で商品を購入し、それを売ってお金を得る。つまり、売買を通じてお金を増やそうと考える人たちがあらわれるということです。

ただ、1000円で商品を買って1000円で売る等価交換では、何の変化もありません。買った商品に付加価値をつけて、例えば1100円で売る。この流通はG―W―G´と表現されます。G´とは「Gプラスアルファ」「G＋利益」といった意味です。

このGからG´になるときに増えた価値を「剰余価値」といいます。こうやって価値がどんどん増えていくと資本になる、といっているわけです。

商品を買って、その商品を売るという一連の運動の中で資本は増えていきます。資本の価値を増殖しようとする運動には際限がなく、G―W―G´は延々と繰り返され、資本はさらに大きくなっていきます。マルクスは、この運動の意識的な担い手となったときに、貨幣所有者は資本家となる、といっています。一般的に「資本家」というと「お金持ち」の意味合いで使われますが、ただお金を持っているだけではなくて、「G―W―G´の運動でお金を増やそう」と意識し、行動する人が資本家なのです。

そして、資本の人格化が資本家であるとも書かれています。資本家はお金を増やすことが目的化してしまい、お金の奴隷になってしまうということです。

その商品の使用価値自身が、価値の源泉であるという独特の属性をもっており、したがって、その実際の消費が、それ自身労働の対象化であって、かくて、価値創造であるというのでなければならぬ。そして貨幣所有者は、市場でこのような特殊な商品を発見する——労働能力または労働力がこれである。（『資本論（一）』291頁）

労働力の価値は、すべての他の商品の価値に等しく、この特殊なる商品の生産、したがってまた再生産に必要な労働時間によって規定される。（297頁）

労働者が資本家に搾取されているとは？

さて、ここまで『資本論（一）』を駆け足でつまみ読みしてきましたが、最後に資本家と労働者の関係について見ておきましょう。

剰余価値を生み出すには、G—W—GをG—W—G′にしなければなりません。GがG′になる秘密は労働力にある、というのがマルクスの主張です。

貨幣所有者である資本家がお金を増やすためには、使用価値自身が価値の源泉である、つまり使うことで価値が増える商品を見つける必要があります。そんな特殊な商品が労働力だ、ということです。

もう少し具体的に言うと、資本家はお金を出して工場を建設し、機械設備を導入し、原材料を仕入れます。その上で、そこで働く労働者を雇い、労働力を購入します。労働力を活用して商品を作ることは、労働力の消費であると同時に価値を生む工程でもあります。資本家が工場で作った商品を売れば、最初に出したお金以上のお金を得ることができます。そのプラスされたお金が剰余価値ということでした。

資本家は労働者を買うわけではありません。労働者を買うということは、人間を買うということであり、奴隷を売買するのと同じになってしまいます。そうではなく、資本家が買っているのは労働者の労働力です。

だから、自分の労働力を自由に売ることができる個人がいることで、初めて資本家は労働力を購入できる。法的には、売り手と買い手は平等ということです。

それでは、**労働力の値段、すなわち給料はどうやって決まるのでしょうか。**

マルクスは「再生産に必要な労働時間によって規定される」といいます。労働者が1日働き、翌日も元気に働くためには、帰宅後に食事をして、ぐっすり休むための居住空間や寝具などが必要で、翌朝の朝食や、出勤するための衣服、交通費などが必要でしょう。さらに家族がいれば、その生活費や子どもを教育させる費用も不可欠です。このように労働者が元気で働き続けるための費用が労働力の値段（給料）になっているのです。

しかし、資本家は労働者を商品を作るのに必要な時間だけ働かせるわけではありません。剰余価値を生み出すために、資本家は「必要労働時間」と資本家の利益となる「剰余労働時間」を含めた労働時間を買っているのです。マルクスは、資本家が労働者に剰余労働をさせることを搾取《さくしゅ》といっています。搾取の理解が『資本論』の第一ステージかもしれません。

フリードリヒ・ニーチェ

『ツァラトゥストラ』

（手塚富雄訳／中公文庫プレミアム）

『ツァラトゥストラ』を読む前に

フリードリヒ・ニーチェ（1844〜1900）はドイツの哲学者。24歳でバーゼル大学の古典文献学の教授になるなど、いち早く才能が見出されますが、健康にすぐれず、大学を辞職後は在野の研究者として執筆を行いました。

ニーチェは『この人を見よ』という著書の中で、自著『ツァラトゥストラはこう言った』について、「人類への最大の贈り物」と表現しています。彼にとって、自信作であったことがうかがえます。

『ツァラトゥストラ』は、一言でいうとキリスト教会の圧力に対する宣戦布告の書。当時のヨーロッパはキリスト教的な価値観が支配していて、真理は神の世界にあるとされていました。

しかしニーチェは、それでは人間は卑屈になってしまい、自己肯定感も持てず、お互いに足を引っ張り合うだけだと考えました。そこで「もっと勇気を持って、自分たちの価値を肯定してもいいのではないか」と主張したのです。

日本人には、当時のヨーロッパ人の抑圧された心理が理解しにくいかもしれません。しかし、「卑屈になりそうな自分に活を入れてくれる毒舌」として読むと心に響く文章がたくさん見つかるはずです。

特に本書は、哲学理論に精通していなくても、独特な文体に慣れてしまえば、文学書としてスラスラ読むことが可能です。じっくり精読するというより、少しずつ音読するのが向いているかもしれません。

私が『ツァラトゥストラ』を読むときにお勧めしたいのは、中公文庫プレミアムに収録されている手塚富雄《てづかとみお》訳のテキストです。

本書の良さは、一節ごとに冒頭に要約文が掲載されており、なおかつ文末には注釈がつけられているところです。

手塚さんの訳文は格調高く読みやすいのが魅力なのですが、新しい中公文庫プレミアム版では文字が大きくなり、おまけに三島由紀夫との対談も収録されています。本書でも、この手塚訳を引用させていただきました。

見よ、わたしはいまわたしの知恵の過剰に飽きた、蜜蜂《みつばち》があまりに多くの蜜を集めたように。わたしはわたしにさしのべられるもろもろの手を必要とする。わたしはわたしの所有するものを贈り与え、分かち与えよう。そうして世の賢い者たちがふたたびおのれの無知を喜び、貧しい者たちがふたたびおのれの富を喜ぶようにしよう。

(『ツァラトゥストラ』手塚富雄訳/中公文庫プレミアム/13頁)

「いったいこれはありうべきことだろうか。この老いた超俗の人が森にいて、まだあのことをなにも聞いていないとは。神は死んだ、ということを」(17頁)

「神は死んだ」で有名な本

『ツァラトゥストラ』は「ツァラトゥストラの序説」から始まり、第一節の冒頭に次のような要約があります。

長い孤独の末に精神が満ちあふれてきたツァラトゥストラが、山を出て人間のなかに下り、太陽のように与える者になろうとする。（12頁）

実に明快です。つまり、『ツァラトゥストラ』は、主人公であるツァラトゥストラという人物（≒ニーチェ自身）が、旅をしながら自分の哲学を語っていく物語なのです。

10年にわたって山にこもっていたツァラトゥストラは、30歳になったとき、知恵の過剰に飽きて「話す相手」が欲しくなりました。

私は、この冒頭を読むだけで、ツァラトゥストラに共感してしまいます。というのも、私は普段、「集めた蜜（知恵）」を「もろもろの手（学生たち）」に分かち与えながら生活をしています。ですから、夏休みや冬休みの長い休み期間がくると、「知恵の過剰」に陥り、苦しくなってしまうのです。そんな知恵が過剰な人、周りの人に何かを教えたくて仕方がない人を思い描いてみてください。「ああ、こういう人いるな」と思えれば、『ツァラトゥストラ』の世界に入りやすくなるはずです。

さて、ニーチェといえば、「神は死んだ」という言葉を知っている人も多いことでしょう。「神は死んだ」は、ツァラトゥストラが発した言葉です。神は死んだ、とはどういうことか。文庫の注を読んでみましょう。

> ニーチェの基本的見解。要約すれば、今まで支配的であった超越的理念が人間をみちびく力を失ってしまったこと。その見解とそれにもとづく思想は全巻にわたって展開される。
>
> (18頁)

簡単にいうと、絶対的な存在であるキリスト教の神を否定するということ。ニーチェは、この作品の中で、キリスト教がいうところの「真理」に縛られずに、自由な精神を獲得しなければならないと訴えます。

「この瞬間を見よ」とわたしはことばをつづけた。「この瞬間という門から、一つの長い永劫の道がうしろに向かって走っている。すなわち、われわれのうしろには一つの永劫があるのだ。

すべて歩むことのできるものは、すでにこの道を歩んだことがあるのではないか。すべて起こりうることは、すでに一度起こったことがあるのではないか、なされたことがあるのではないか。この道を通り過ぎたことがあるのではないか。

（……）われわれは永劫に再来する定めを負うているのではないか。（『ツァラトゥストラ』350～351頁）


「おまえが飽き飽きしている人間、あの小さな人間は、永久に立ち帰ってくるのだ」（493頁）

勇気は最善の殺害者である、攻撃する勇気は。それは死をも打ち殺す。つまり勇気はこう言うのだ。「これが生だったのか。よし。もう一度」と。（347頁）

「永劫回帰」というキーワード

『ツァラトゥストラ』を読み解くにあたり、まず押さえておきたいのは「永劫回帰」というキーワードです。

ニーチェは私たちが存在する宇宙を、創造と破壊が無限に繰り返される円環運動をしているものとして捉えました。要するに、**世の中のすべてが何度も何度も永遠に繰り返す**ということです。

「今この瞬間が、過去にも存在したんじゃないか」という錯覚・幻影のようなものが何度も何度も繰り返す。このイメージは、ツァラトゥストラをうんざりさせます。

ツァラトゥストラは、特に人間に対して飽き飽きしていました。スケールが小さく、せこい人間が永久に立ち帰ってくる。彼は倦怠感と吐き気を覚え、嘆息します。

自分の身の回りにいる、人間的にせこい人を思い浮かべてください。会社の経費でだけ飲みたがる人とか、30年前の学歴を持ち出してマウントを取ろうとする人。そんな小さい人が大挙して繰り返しやってくることを思うと、「もう人間なんてまっぴら」という気分になるはずです。

それでも、ツァラトゥストラは最終的に永劫回帰を受け入れます。勇気を持って倦怠感を迎え撃ちます。手塚さんの注にはこうあります。

生に絶望して、死を望む心をも打ち殺し、苦しい生であればこそ、それをもう一度生きようと決意する。永劫回帰の思想における最も重要な実践的態度。（348頁）

人生においては、努力をしたのに思いどおりにいかなかったり、似たような失敗を繰り返してしまったりすることがあります。人生に絶望して、投げ出したくなる人もいるでしょう。

それでもツァラトゥストラは、嫌なことでも辛いことでも「よし、もう一度」と言ってしまおうと呼びかけます。**うんざりするような状況を、自分の意志でもう一度選び取るのが勇気のある生き方**だと主張するのです。

なお、永劫回帰の思想は、714ページ以降の「酔歌」というパートで詩的に表現されています。この本の最高潮ともいえる部分です。

わたしはあなたがたに超人を教える。人間とは乗り超えられるべきあるものである。（『ツァラトゥストラ』19頁）

人間は、動物と超人とのあいだに張りわたされた一本の綱である——深淵《しんえん》の上にかかる綱である。（24頁）

君たちが一つの神を創造することができるだろうか。答えは否である。——だから、どんな神についても語ることはやめるがいい。しかし君たちは超人を創造することはできるだろう。（180頁）

「超人」になることを目指す

神が死に、無意味な円環が繰り返される永劫回帰。この永劫回帰を肯定的に受け入れる態度を、ニーチェは「運命愛」といいます。この態度を身につけた人は、「超人」と呼ばれます。

『ツァラトゥストラ』では、超人と動物のあいだに人間がいるとしています。ちっぽけな人間であることに安住せず、その先にある超人を目指せというのです。

超人というと、「スーパーマン」のような正義のヒーローを思い浮かべがちですが、それとはニュアンスが異なります。**超人は、人間のダメなところを乗り超え、創造的に生きていく人**のことを意味しています。要するに、既存の価値観を恐れずにもっと創造的であれ、ということです。

今の世の中には、小さな人間であることを乗り越えようとしている「超人」がたくさん見受けられます。例えば、将棋の藤井聡太八段。2020年には棋聖のタイトルを17歳10ヵ月20日の史上最年少で獲得し、続く王位戦も制し、見事タイトル二冠を手にしました。

プロデビューから歴代最多連勝記録（29連勝）を記録したというニュースに衝撃を受けたのも記憶に新しいところです。

もちろん藤井二冠は超人的ですが、超人とは人間的な弱さを乗り超え、今の自分を常に乗り超えていこうとする態度そのもののことです。その意味でまさに超人です。

スポーツの世界では、常に高みを求め続ける選手は超人です。史上最高の体操選手と呼ばれる内村航平選手の鍛練は、超人です。もちろん、「ＭＬＢシーズン最多安打」「10年連続２００安打以上」を記録したイチローも忘れてはいけません。

海外の大舞台にチャレンジし、一つひとつ結果を出しながら壁をこじ開けていく。常に今の自分を乗り越えていくのが超人のあり方なのです。

ニーチェの時代には現代のような形式のスポーツはありませんでしたが、ニーチェのイメージは非常にスポーツ的です。**ライバルがいて、お互いに切磋琢磨《せっさたくま》しながら高め合う。**そんなスポーツ界のスーパースターをイメージすると、超人という概念が理解しやすくなります。

わたしは君たちに精神の三様の変化について語ろう。すなわち、どのようにして精神が駱駝《らくだ》となり、駱駝が獅子《しし》となり、獅子が小児となるかについて述べよう。(『ツァラトゥストラ』48頁)

小児は無垢《むく》である、忘却である。新しい開始、遊戯、おのれの力で回る車輪、始原の運動、「然《しか》り」という聖なる発語である。(51頁)

「駱駝」「獅子」「小児」の3ステップ

ニーチェは超人にいたる段階を3つのステップに分けて語っています。

第一ステップは、駱駝になるという段階です。ニーチェは「重荷に耐える精神」を駱駝にたとえています。

日本国憲法では、国民の三大義務として「勤労の義務」「納税の義務」「子どもに普通教育を受けさせる義務」を定めています。

私たちは学校に通って勉強を学ぶだけでなく、社会で生きていくために必要な規律を学んでいきます。学校を卒業して社会に出ると、社会人として仕事をし、得られた所得の中から税金を納めます。学校生活や仕事は、時に退屈で重荷のように感じられることがあります。一方で、こうした重荷を背負って生きていくことは重要です。病気でもないのに、まともに働かない人生は、決して豊かなものではありません。

しかし、ひたすら重荷に耐えて義務を果たすだけが人生のすべてなのかと問われると、疑問に思うところもあるでしょう。

人が義務を果たしながら生きていくことは大切ですが、その義務は自らが課したものではなく、あくまでも他人から与えられたものです。「与えられた義務を遂行しているだけで一生を終えてしまって本当にいいのか？」ニーチェはそう問いかけます。

そこで、重荷に耐える精神を身につけたら、次のステップに進め、とニーチェは教えます。第二ステップは、獅子になるというものです。

獅子は、押しつけられる義務を拒否し、精神の自由を獲得した者の象徴です。

ライオンの狩りの成功率は、実は20～30％ほどと低いのだそうです。それでも自分の力で狩りを行い、厳しい生存競争の中で強く生き抜いています。こうしたライオンの生態は、与えられた価値観を壊し、新しい価値を作っていく姿に重なります。ニーチェは、そういった精神の自由を獲得しろというのです。

そして獅子のあとに目指すべき第三のステップは「子どもになる」です。獅子の上位のステップに子どもが来るというのは意外に思われるかもしれませんが、幼い子どもだけが持ちうる特性というものがあります。無垢な状態で遊び、創造することです。

幼い子どもは自分の周りの世界を肯定し、新しい価値を生み出します。これが人間の精神の最終到達地点であるとしたのです。

嫉妬の炎につつまれた者は、最後には、さそりと同様に、自分自身に毒針を向けるのだ。
（『ツァラトゥストラ』74頁）

いっさいの書かれたもののうち、わたしはただ、血をもって書かれたもののみを愛する。（……）血と寸鉄の言で書く者は、読まれることを欲しない。そらんじられることを欲する。
（81頁）

わたしが神を信ずるなら、踊ることを知っている神だけを信ずるだろう。（83頁）

のがれよ、わたしの友よ、君の孤独のなかへ。（107頁）

人は、おのれの友をも敵として敬うことができなくてはならぬ。（119頁）

君は君の友のために、自分をどんなに美しく装っても、装いすぎるということはないのだ。

なぜなら、君は友にとって、超人を目ざして飛ぶ一本の矢、憧れの熱意であるべきだから。
(119〜120頁)

君たちが世界と名づけたもの、それはまず君たちによって創造されねばならぬ。(181頁)

意欲は解放する。これこそ、意志と自由についての真の教えである。(183頁)

人間が存在しはじめてからこのかた、人間は楽しむことがあまりに少なかった。そのことだけが、わたしの兄弟たちよ、われわれの原罪なのだ。(188頁)

よし。その同情の季節は――過ぎたのだ。(……)よし。獅子は来た。わたしの子どもたちは近い。ツァラトゥストラは熟した。わたしの時は来た。――これがわたしの朝だ。わたしの日がはじまる。(738頁)

アフォリズムを味わう

『ツァラトゥストラ』は、アフォリズム（警句、箴言）にあふれた本であり、全編を通じてニーチェの思想を読み解くだけでなく、一文に注目して味わう読み方も可能です。

そこで、印象的な文章をピックアップしてみました。

「嫉妬心を抱いたときにサソリが自分の心の中にいる」「そのサソリが自分に毒針を向ける」というのは、多くの人が体験的に実感していることではないでしょうか。私は学生にこの文章を音読してもらい、「自分がサソリになった瞬間を思い出して発表してください」といった課題を与えることがあります。

あるいは「血をもって書かれたもののみを愛する」というのも有名なフレーズです。ニーチェは「自分は血で文章を書いているから、全文暗記するような読み方をしてくれ」と要求しています。情報として流し読みをするような人がいたら、ニーチェは大激怒しそうです。

「君は友にとって、超人を目ざして飛ぶ一本の矢、憧れの熱意であるべき」という文章も、「友とは高め合うものだ」という思想を理解すれば、決して難しくはありません。

「世界は君たちによって創造されなければならない」というのも格好いい言葉です。ちょっと青臭く聞こえるかもしれませんが、「自分たちが世界をつくる」という意識を持ち続けたいものです。

「人間は楽しむことがあまりに少なかった」などは、仕事に追われて疲弊している人には、きっと刺さりそうです。

「よし。獅子は来た」というのは『ツァラトゥストラ』の締めくくりの文章であり、盛り上がりを感じます。ツァラトゥストラの、言いたいことを言ってやったぞ、という興奮が伝わってくるようです。

キーワードやニーチェの思想のエッセンスを理解しておけば、パラパラとページをめくったときに、一文一文がどんどん突き刺さってくるはずです。

印象的な言葉を拾っていくだけでも充実した読書体験になります。これほど直接的に胸に刺さる本を「難しそう」と敬遠してしまうのは、もったいない限りです。ぜひ、チャレンジしていただきたいと思います。

フェルディナン・ド・ソシュール

『ソシュールの思想』

（丸山圭三郎著／岩波書店）

『ソシュールの思想』を読む前に

フェルディナン・ド・ソシュール（1857〜1913）は「近代言語学の父」といわれるスイスの言語学者。10代で論文を書くなど、早くから才能を発揮しましたが、後半生では研究を発表する機会が減少し、経歴の一部は謎に包まれています。

ソシュールは「構造主義」という思想の先駆者として、後の研究者に大きな影響を与えました。それほど偉大な言語学者であるにもかかわらず、日本では長らくマルクスやニーチェ、フロイトなどと比較すると、あまり有名な存在ではありませんでした。

というのも、**ソシュールは生前に一冊も著書を刊行しておらず、講義録しか残されていない**のです。いってみれば「ソシュール先生の講義を受けた○○君のノート」がソシュールを読み解く際の原資料となっているのです。

日本のソシュール研究の代表的な作品として知られるのは、1981年に刊行された言語学者・丸山圭三郎《まるやまけいざぶろう》さんの『ソシュールの思想』（岩波書店）という本です。この本は、ソシュールの原著でありながら、丸山さんのソシュール解説書でもあるという不思議な構成になっています。

この本には、解説がついているおかげで読み進めやすいというメリットがあります。本書によって日本でもソシュールの考え方について多くの読者が知るところとなりました。まさに記念碑的な一冊といえます。

私自身、丸山先生の授業を実際に受けた経験があります。先生がフランス語の原文を読み、それについて解説してくださるという、非常に贅沢な授業でした。

ソシュールが提示したのは、要するに「私たち人間は言語の網の目でこの世界を捉えている」という学説です。

言語の網の目があって、はじめて人間は考えることができる。人間個人よりも、言語の構造のほうに根源的な意味がある。そういった視点は、多くの人の認識を揺さぶりました。

本書でも、『ソシュールの思想』のエッセンスを取り上げながら、ソシュールの思想に触れていきたいと思います。

言語の中には（……）差異しかない。差異というと、我々は差異がその間に樹立される積極的《ポジティヴ》な辞項を想起しがちである。しかし、言語の中には積極的な辞項をもたない差異しかない、という逆説である。

すべては、対立として用いられた差異に過ぎず、対立が価値を生み出す。差異の中には、現象と呼ぶことが出来る差異があるのである。（『ソシュールの思想』（丸山圭三郎著／岩波書店／97頁）

言語の中には差異しかない

最初に着目したいのが「差異」というキーワードです。ソシュールが提示したのは、言語というのは差異の体系であるという考え方です。

私たちの使っている言語には、言葉一つひとつが自立できるようなポジティブな意味があるわけではなく、差異、つまり一つの言葉と別の言葉の「違い」が作り出す体系によって意味が生まれるということです。

私たちが一般的に「言葉」というとき、言葉とそれが指し示す対象は一対一で対応しているイメージがあります。だから、「差異」というと、特定の意味をすでに持っている言葉同士に違いがあることのように思えます。「犬は犬で猫は猫。犬と猫は最初から別の言葉だ」という感じです。

これに対して、ソシュールは「言語の中には積極的な辞項をもたない差異しかない」といっています。「ぼんやりしたものとぼんやりしたものがあって、それが違っているね」というイメージです。

例えば、私たちは「犬」と「オオカミ」を別の生き物として呼び分けています。けれども、もし「オオカミ」という言葉がなかったとしたら、おそらく「犬」という言葉が指し示す範囲が広くなり、すべてひっくるめて「犬」と呼ぶことになるでしょう。つまり、周りの言葉しだいで意味が決まってくるということであり、言葉同士の関係性が本質なのです。

丸山さんの解説では「すべては、これらの差異を対立化する語る主体の活動と意識から生れる」とあります。違いを見いだそうとする私たち人間の頭の働きによって、違いがはっきりしてくるということです。

ソシュールは、言語体系が違うというのは、単に言葉の意味が違うというだけでなく、世界を見るときの見方が違うことだといいます。

例えば、私が生まれ育った静岡は気候が温暖であり、せいぜい10年に一度くらいしか雪が積もりません。だから、「雪が降ったね」という表現ですべてが片付きます。

他方、太宰治の紀行文である『津軽』の冒頭には、津軽の雪として「こな雪　つぶ雪　わた雪　みず雪　かた雪　ざらめ雪　こおり雪」とあります。こな雪は湿気が少なく、フーッと息を吹きかけると飛び散るような雪であり、みず雪は水分の多い雪です。同じ

「雪」でもまったく別物です。

静岡人と津軽人とでは、雪について持っている言葉の数が違います。持っている言葉の数が違うというのは、言語体系が違うということです。

前述したように、言語体系が異なると、世界を見るときのものの見方も変わります。持っている言葉が違えば、同じ風景でも違って見えてくるのです。

世界を言葉によって区切ることをソシュールは「分節化」といいます。人間は言葉によって世界を細かく切り分けており、「雪」を細かく分けるのも分節化です。

ワインに疎い人は何を見ても「ワイン」でしょうが、ワインに詳しい人は「スティルワイン」「スパークリングワイン」「フォーティファイドワイン」「フレーバードワイン」の違いがあり、「スパークリングワイン」もさらに「シャンパーニュ」「クレマン」「スプマンテ」などの種類があるのを知っています。

そうやって世界を分節化していくことで、豊かな世界に生きることにもなります。

記号《シーニュ》は、すべての価値と同様に、恣意的である。（『ソシュールの思想』116頁）

言語記号が表現と意味を同時にもつ二重の存在であることがはっきりしたため、ソシュールは前者をシニフィアン signifiant、後者をシニフィエ signifié と名づけた。（……）前者の直訳は「意味するもの」、後者の直訳は「意味されるもの」である。（124〜125頁）

「シニフィアンとシニフィエ」「恣意性」

もう一点確認したいのが、「シニフィアン」と「シニフィエ」という用語です。なんだかややこしそうな語感に尻込みしそうですが、ここを頑張って乗り越えましょう。

シニフィアンは「意味するもの」という意味であり、文字や言葉の「音」のこと。「シニフィエ」は「意味されるもの」という意味であり、言葉の内容です。「シニフィアン」と「シニフィエ」の二つを合わせたものをシーニュ（記号）といいます。

例えば「鹿」の場合「シカ」という音がシニフィアンであり、奈良公園などにいる動物の「鹿」がシニフィエです。

ソシュールは、シニフィアンとシニフィエの関わりは恣意的であるといいました。「恣意的」というのは「適当である」という意味です。

要するに、「鹿」を「シカ」と呼ばなくてもいいということです。「ピクピク」でもいいし、「カンダー」でもかまわないはずです。現に、英語を母国語としている国では「鹿」のことを「deer」といい「シカ」とはいいません。

あの動物が「シカ」である必然性があるなら、世界中どこに行っても「シカ」と呼ばれるはずなのに、実際には違う言葉で呼ばれているというのは、シニフィアンとシニフィエの結びつきが恣意的である証拠です。

読者の中には、「でも日本語で考えると、シニフィアンとシニフィエの結びつきは必然的な気がする」という人がいるかもしれません。

例えば「春」というのも、気持ちが張るとか、晴れるという言葉とつながっているから「春」なのであり、「春じゃなくて『どん』でもよかった」みたいにいわれても……という気持ちはわかります。

ただ、ここでは大きくいうと「スプリング」なのか「春」なのかは絶対的に決まっていないから恣意的だ、という考えを受け入れましょう。

難しい本を読むときには、小さな疑問に引っかからないというのがポイントです。細かいところで批判的にあら探しをしていると、つっかかって前に進めなくなります。とりあえず小さな疑問はさておき、相手の土俵に立つことが肝心です。「郷に入っては郷に従え」です。

難しい本を読むときは、著者を先生だと思い、「先生の授業でいい点数を取る」ということを意識してください。

話を戻します。ソシュールは「シニフィアンとシニフィエの結びつきは恣意的（適当）なものだ」といいました。

実は、シニフィアンとシニフィエの結びつきが恣意的というだけではなく、そもそも一つの記号である「シーニュ」と「シーニュ」の区切られ方も恣意的だというのがソシュールの学説です。「言語は差異の体系である」といいましたが、その「差異」が恣意的だったのです。

例えば、部屋の中にふわふわした風船がたくさん詰まっている光景をイメージしてください。この部屋に、もう一つ新たな風船を一つ入れるとどうなるでしょう。他の風船が、ちょっとずつ動いて新たな風船の居場所ができます。この風船が言葉であると考えるとわかりやすいと思います。

言葉は独立した杭のように固定化していなくて、風船のようにふわふわしています。新しい言葉が一つ増えたら、その言葉によって今までの言葉の意味が狭まり、さらに言葉はいくらでも増えていくことができます。

私たちは、すべてのものには最初から意味があると思っていたのに対して、ソシュールは「それはただの思い込みであり、人間は差異の体系に縛られているんだ」と主張しました。言葉よりも、言葉が属している体系（言葉を規定する構造）が重要であるということを示したので、ソシュールは「構造主義の源流」として位置づけられました。

いかがでしたでしょうか。「差異」「恣意的価値体系」という言葉がおおよそ理解できれば、細かいところはざっくり読んでしまってかまいません。どうせ細かく読んでも忘れてしまうのだから、というくらいの割り切りが肝心です。

「私たちは日本語という言語の網の目で世界を捉えている。言語というのは歴史的にたまたまできているだけ。絶対的なものではないから、それを組み換えることだってできる」

そんなエッセンスを知ると、世界を見る目が変わってくるような気がします。

西田幾多郎

『善の研究』

（講談社学術文庫）

『善の研究』を読む前に

西田幾多郎《にしだきたろう》（1870～1945）は、加賀国（現在の石川県）に生まれた日本を代表する哲学者です。第四高等中学校を中退後、帝国大学文科大学哲学科選科に入学しますが、聴講生のような立場だったため学歴差別を受けました。同時期には父が米相場で失敗し、西田家は破産を余儀なくされています。

大学卒業後は、故郷である石川県の中学校教師として働き、第四高等学校の教授に就任。のちに京都帝国大学文科大学で教えるようになり、『善の研究』を出版しています。京都帝国大学名誉教授となり、1940年には文化勲章を受章。第二次世界大戦が終わる2ヵ月前の1945年6月に75歳で亡くなりました。

改めて西田幾多郎の年譜を見ると、たくさんの苦難を乗り越えてきた人物であることがわかります。10代のころには姉がチフスで亡くなり、日露戦争では弟が戦死。さらに次女を5歳、五女を生後すぐに失うなど、生前には実に5人の子どもと妻にまで先立たれています。こういった苦難の経験が彼の研究の背景にあると考えるのが自然です。

実は、刊行当初の『善の研究』はあまり売れなかったようです。しかし、当時人気作家であった倉田百三《くらたひゃくぞう》が『愛と認識との出発』という本で『善の研究』に触れたのをきっかけに多くの人が知るところとなり、人気に火がつきました。紙型が摩滅したため、新版が発行されるくらいの大ベストセラーとなったのです。

戦後の1947年には、岩波書店『西田幾多郎全集』第一巻の発売前から徹夜で行列する人が出るなど、熱狂的な読者を獲得しました。

さて、『善の研究』は日本で初めての本格的な哲学書とされています。長らく難解な文章の典型と見られてきましたが、今読み直すと、案外わかりやすく感じるのが不思議です。本書からは、日本人が哲学に挑戦し、日本の感性に基づく独自の哲学を打ち立てようとした「知的格闘」の痕跡がうかがえ、非常に感銘を受けます。

本書を読む上での底本には『善の研究』（講談社学術文庫）をお勧めします。小坂国継《こさかくにつぐ》さんの丁寧な注釈と解説がついており、理解の大きな助けとなります。

他に西田幾多郎の思想を読み解く参考書には『西田幾多郎哲学論集〈Ⅱ〉論理と生命他四篇』（上田閑照編、岩波文庫）、『西田幾多郎』（永井均著、角川ソフィア文庫）、『禅と日本文化』（鈴木大拙著、北川桃雄訳、岩波新書）などがあります。

経験するというのは事実そのままに知るの意である。まったく自己の細工を棄《す》てて、事実に従うて知るのである。（……）自己の意識状態を直下に経験した時、未だ主もなく客もない、知識とその対象とが全く合一している。これが経験の最醇《さいじゅん》なるものである。（『善の研究』講談社学術文庫／30頁）

「純粋経験」というキーワード

『善の研究』でまず押さえておくべきは「純粋経験」というキーワードです。「純粋経験」などといわれると、抽象的で難解そうですが、恐れず素直に受け止めましょう。

『善の研究』の第一編と第一章は「純粋経験」と題されていて、純粋経験についての記述からスタートします。ここには、**純粋経験＝事実そのままに知ること、真の経験そのままの状態、知識と対象が全く合一**とあります。

まるで意味不明というわけではなく、なんとなく意味しているところはわかるはずです。要するに、人が海を目の前にしているときに「私」と対象である「海」が一体化しているのが純粋経験であり、「海に夕日が沈む光景が美しくて私の心は感銘を受けた」などと思考するのは、「私」と「海」が分かれているので、純粋経験ではないというイメージです。

『西田幾多郎』（永井均著／角川ソフィア文庫）では、この純粋経験の非常にわかりやすい例を紹介しています。それは川端康成の有名な文学作品である『雪国』の書き出しとして有名な一文です。

国境の長いトンネルを抜けると雪国であった。

さて、この文章を英訳する場合、いったい何が主語になるでしょうか。アメリカ人の日本学者であるサイデンステッカーという人が実際に英訳した文章では、「The train」が主語になっています。直訳すると「列車が長いトンネルを抜けて……」という具合になります。

しかし、私たち日本の読者は「列車が雪国に入った」などといわれると、少し違和感を感じます。やはり主語のない「国境の長いトンネルを抜けると……」がしっくりきます。

では、トンネルを抜けたのは「私（あるいは主人公の「島村」）」なのでしょうか。永井《ながい》均《ひとし》さんはそれも違うといいます。

もし強いて「私」という語を使うなら、国境の長いトンネルを抜けると雪国であったという、そのことそれ自体が「私」なのである。だから、その経験をする主体は、存在しない。西田幾多郎の用語を使うなら、これは主体と客体が分かれる以前の「純粋経験」の描写である。（『西田幾多郎』17頁）

永井さんは、この事例に続けて、日本語では「私は雷鳴を聞く」「私は稲妻を見る」などといわずに、「雷鳴が聞こえる」「稲妻が見える」などと表現する事例を挙げています。西田幾多郎の純粋経験という考え方によれば、経験している「雷鳴」や「稲妻」がそのまま私ということになります。主語のない日本語を当たり前のように使っている私たちには、比較的理解しやすいのではないでしょうか。

西田幾多郎は、このように主体と客体が分かれる以前の経験(純粋経験)だけが実在していると考えました。本書の序文にも「純粋経験を唯一の実在としてすべてを説明してみたいというのは、余が大分前から有《も》っていた考えであった」とあります。純粋経験を中心に論じようという宣言です。

ですから、本書は『善の研究』というより、『純粋経験という哲学』『主客未分の哲学』などというタイトルのほうが、もう少し多くの人に理解されたのではないか、と思います。実際に、このタイトルは西田本人がつけたものではなく、彼にとっては不本意なものだったようです。

すべて真理の標準は外にあるのではなく、反って我々の純粋経験の状態にあるのである、真理を知るというのはこの状態に一致するのである。（……）直接経験の状態において、主客相没し、天地唯一の現実、疑わんと欲して疑う能《あた》わざる処《ところ》に真理の確信があるのである。

（『善の研究』98〜99頁）

少しの仮定も置かない直接の知識にもとづいて見れば、実在とはただ我々の意識現象すなわち直接経験の事実あるのみである。（140頁）

主客を没したる知情意合一の意識状態が真実在である。（163頁）

我々が物を知るということは、自己が物と一致するというにすぎない。花を見た時はすなわち自己が花となっているのである。（221頁）

俳句や禅にも通じる感覚

「純粋経験」「主客未分」といった概念が理解できると、『善の研究』の中には部分的に理解できる記述が見つかるようになります。

例えば、「すべての真理……」という文章からは、**「真理を知ることは純粋経験を意味していて、主体と客体がなくなって唯一現実だけがある」**という内容が読み取れます。続いて引用した箇所についても、主客未分の純粋経験について語っているらしいことがわかります。

「花を見た時はすなわち自己が花となっている」などは、私たちの日常的な経験との重なりを感じます。例えば音楽を聴いて音楽と一体化しているときも一種の純粋経験ですし、美味しい食べ物を楽しんでいるときも純粋経験です。まさに自分が没しているときに、その現実だけがあるという感覚です。

こうした主客未分の考え方は、俳句や禅の考え方にも通じます。

例えば、「古池や蛙飛びこむ水の音」という松尾芭蕉の有名な句があります。これを

「古池の近くにいた私は、カエルが飛び込む音を聞きました」と書くと急につまらなく感じられます。そもそもこの句において、カエルが飛び込む音を聞いた人がどこにいるのかわかりません。私たちは、この句に主客未分な感覚を見出すことで、豊かな詩情を受け取っているわけです。

ちなみに、この句には芭蕉の禅への関心を読み解く解釈もあります。禅は、私たちの心の中にある決めつけや思い込みなどを排し、無心の境地に至ることを要求します。いってみれば「雑念を払い落とせば、世界が明るく肯定される」発想です。

実際に、**西田幾多郎は禅の体験を通じて主客未分の考え方に行き着いたとされています。**彼は、高等学校の同級生であり、生涯の友でもあった鈴木大拙《すずきだいせつ》の影響で禅の修行に打ち込んだ経験があります。鈴木大拙は、『禅と日本文化』を発表し、世界に禅（ZEN）を紹介した人物として有名です。

俳句や禅など、日本的な文化を背景に『善の研究』を読めば、ごく自然に西田哲学を受け入れることができるのです。

かく考えてみれば、意志の発展完成はただちに自己の発展完成となるので、善とは自己の発展完成 self-realization であるということができる。すなわち、我々の精神が種々の能力を発展し円満なる発達を遂げるのが最上の善である。（『善の研究』328頁）

「善」とは何か？

ここまでで『善の研究』について最低限の理解はできたとみなしてかまいません。ただ、「結局、善の研究の『善』というのは何？」という疑問を持つ人がいるかもしれません。そこで、直接的に善について記述した箇所にも触れておきましょう。

西田は、「善は自己の発展完成である」といいます。self-realizationは、一般的に「自己実現」と訳されます。

一般的に「善」というと善悪の善を連想します。しかし、ここで言及される善は「人格を完成させること」です。人格が完成された状態は、知性、感情、意志の三つ（知情意）が重なった状態とも言い換えられます。おそらく、ソクラテスなどの古代ギリシャの哲学が「ただ生きるのではなく、良く生きること」を探求していたことが念頭にあったと考えられます。

これは、日常に即してわかりやすくいえば、**我を忘れて本当にやりたいことに没頭している状態**です。アメリカの心理学者であるミハイ・チクセントミハイが提唱した「フロー理論」などと同じものと考えてよいでしょう。

私は大学の授業で、教え子である学生たちにフロー体験について尋ねたことがあります。ある学生が、小学生のときにクラス全員の前でけん玉の昇段試験を受けたときの経験を披露してくれました。

試験では、「もしかめ」（童謡「ウサギとカメ」の歌に合わせて大皿、中皿を往復させる技）を1000回連続で成功させるという基準が設けられていました。1000回というのは、相当なハードルのように思われます。しかし、その学生は、いざ試験が始まるとけん玉の動きに没入し、周りの雑音も聞こえなくなり、クラス全員から見られているというプレッシャーも忘れ、けん玉と自分が一体化する感覚を味わったといいます。最終的には、1000回をはるかに超えてけん玉を動かし続けるのを、先生が強制的にストップしたというのです。

これなどはまさに善であり、純粋経験であるといえます。スポーツに取り組んだ経験がある人なら、一度や二度くらいはこれと似た経験をしているのではないでしょうか。

「よく生きる」というのは倫理学で扱う問題ですが、西田は日本の哲学者として、日本人の人格形成の問題を意図的に盛り込んだのでしょう。

知と愛とは同一の精神作用である。それで、物を知るにはこれを愛せねばならず、物を愛するのはこれを知らねばならぬ。（……）知は愛、愛は知である。例えば、我々が自己の好む所に熱中する時はほとんど無意識である。自己を忘れ、ただ自己以上の不可思議力が独り堂々として働いている。（『善の研究』452〜453頁）

知は愛、愛は知である

『善の研究』の最後には「知と愛」というエッセイが置かれています。これは、もともと独立して書かれた随筆だったのですが、本書と内容が連続しているため付録として追加したとあります。

東京工業大学教授の若松英輔《わかまつえいすけ》さんは、NHK「100分de名著」のテキストである『善の研究』の中で、最初に読むべきは、この「知と愛」であるとしています。この文章は「西田幾多郎による西田幾多郎入門」として最適であるというのです。

本当の「哲学」の道を生きるためには、「知」のちからだけでなく、「愛」のはたらきを欠くことができないと西田は考えていました。それが彼の出発点です。西田は「知の巨人」だっただけではありません。深い「愛の人」でもありました。（『100分de名著　善の研究』NHK出版／31頁）

「知る」ことと「愛する」ことは、まったく別の精神の働きであるように思われます。しかし、西田はそうではなくて一緒であるといいます。「主客合一」の作用です。

私たちは、自分を忘れて対象を愛しているとき、同時にそれを「知る」ことができます。私たちが美しい絵画を見て感動するのも、素敵な音楽を聴くだけで涙が出てくるのも、「主客合一＝知即愛、愛即知」ということに他なりません。

西田はさらに、「親が子となり子が親となりここに始めて親子の愛情が起こるのである」と記述しています。確かに、テレビや映画を観ていると、危険が迫ったとき自らの命をなげうって親が子どもを助けるような場面が出てきます。このとき、親は「子どもが可愛そう」などと感じる前に行動しています。親と子どもは一体化しているからです。

あるいは家族や友だちと同じ出来事に直面して共に泣いたり笑ったりするときにも、私と他人は一体化し、愛が深まっているという感じがします。

私たちが「私」を捨てて「無私」の状態になれば、愛は大きく深くなり、その愛は友だちへの愛、人類への愛に広がる、と西田はいいます。最終的に、この愛の観念は宗教にも波及します。西田は、分析や推論によって神を知ることはできず、ただ神を愛することによって神を知ることができるとしています。

ルートヴィヒ・ウィトゲンシュタイン
『論理哲学論考』
（野矢茂樹訳／岩波文庫）

『論理哲学論考』を読む前に

ルートヴィヒ・ウィトゲンシュタイン（1889～1951）はオーストリアのウィーン生まれ。父は鉄鋼王で、ヨーロッパでも指折りの実業家でした。そんな裕福な家庭に育ちながら、4人の兄のうち3人までもが自殺をしており、彼自身も自殺を考えることがあったようです。大学では当初、工学を学び、のちに数学や論理学、言語哲学を学ぶようになりました。イギリスのケンブリッジ大学では、哲学者のバートランド・ラッセルに師事しています。

1914年には第一次世界大戦に義勇兵として参加。そのとき、塹壕の中でノートに書き留めた草稿が『論理哲学論考』の出発点になったとされています。その後は、小学校教師や庭師として働き、再びケンブリッジ大学に戻るという、なかなか変わった経歴の持ち主です。

さて、『論理哲学論考』は現代哲学を代表する本であると同時に、難しい本の筆頭に挙げられる本でもあります。

本文は、何かのルールブックを連想させる独特な表記で書かれています。例えば、非常に緻密に書かれた野球のルールブックをイメージしてください。野球に疎い人が読んだら、何がなんだか要領を得ないはずです。本書の読みにくさは、それと似ています。非常に整理されていて、分量的にも読破できそうなのに、いざ読み始めてみるとさっぱりわからないのです。

そこで、本書を読むには手助けを借りることが肝心です。エベレストを登るときに、登山の案内をしてくれるガイドを雇うように、解説文を参照しながら読み進めていくのがベストです。まず、訳書として私がお勧めするのは岩波文庫版の『論理哲学論考』です。哲学者である野矢茂樹《のやしげき》さんの訳であり、訳注と訳者解説を読むだけで理解が進みます。

ガイドブックとしては『ウィトゲンシュタイン『論理哲学論考』を読む』（野矢茂樹著、ちくま学芸文庫）、『ウィトゲンシュタイン入門』（永井均著、ちくま新書）、『ウィトゲンシュタイン論理哲学論考』（古田徹也著、角川選書）などがあります。

永井均《ながいひとし》さんの本は、大枠をつかむには最適でウィトゲンシュタインの全体像も学べます。古田徹也《ふるたてつや》さんの本は原文と対応した丁寧な解説が特徴で、これを読めば一通り理解できるようになっています。

本書が全体としてもつ意義は、おおむね次のように要約されよう。およそ語られうることは明晰に語られうる。そして、論じえないことについては、ひとは沈黙せねばならない。かくして、本書は思考に対して限界を引く。いや、むしろ、思考に対してではなく、思考されたことの表現に対してと言うべきだろう。(……)したがって限界は言語においてのみ引かれうる。(『論理哲学論考』野矢茂樹訳/岩波文庫/9～10頁)

『論理哲学論考』は何について書いた本なのか

難しい本の筆頭である『論理哲学論考』をどこから攻略すべきか。素直に冒頭から読んでいくのはハードルが高すぎます。そこで、まずは翻訳者である野矢茂樹さんの解説から読んでみましょう。この18ページの簡潔に整理された解説を読むだけで、『論理哲学論考』（『論考』）が少しわかったような気になれます。

「私にはどれだけのことが考えられるのか」、これが『論考』の基本問題である。思考の限界を見通すことによって思考しえぬものを浮き彫りにする。ウィトゲンシュタインはそこに二つのことを賭ける。ひとつは、哲学問題が思考不可能な問題であることを示し、いっさいの哲学的お喋りに終止符を打とうとする。もうひとつは、倫理、価値、生に関わることを、思考によってではなく、ただ沈黙のうちに生きることによって受け入れようとする。（225頁）

「いっさいの哲学的お喋りに終止符を打とうとする」という表現からは、「ウィトゲンシュタインが従来の哲学に対してケンカを売っている姿がありありとイメージできます。翻訳者である野矢さんの体温や感情が伝わってきます。

また、「倫理」「価値」「生」というテーマは哲学が扱うものだと考えている人が多いですが、ウィトゲンシュタインは、「こういったものは思考できないから、もうしゃべるのはやめて、生きていくしかない」といっているのです。

ウィトゲンシュタインは、言語の限界を明らかにすることによって思考の限界を示そうとする。かくして、思考の限界の問いに代えて、「私にはどれだけのことが語りうるのか」という問いが問われることになる。まさにこれこそが、『論考』の核心をなす問いにほかならない。（225〜226頁）

言語化できないことを思考するのが難しいのは確かですから、この指摘は納得できるのではないでしょうか。最初にこれだけ理解しておけば、『論理哲学論考』のエッセンスを把握できたといえます。

一　世界は、成立していることがらの総体である。

一・一　世界は事実の総体であり、ものの総体ではない。

一・一一　世界は諸事実によって、そしてそれが事実のすべてであることによって、規定されている。

（……）

二　成立していることがら、すなわち事実とは、諸事態の成立である。（『論理哲学論考』13頁）

「事実」と「事態」の違い

では、本論に入っていきましょう。

世界は成立している事柄（事実）の総体である。例えば、「目の前に『論理哲学論考』の文庫本がある」ということが成立しているとき、それは事実であるということです。引き続き、野矢さんの解説を引用します。

> 見渡せばすべては事実でしかない。すべては現実であり、たんなる可能的なものなど、この世界には何ひとつない。（……）『論考』は現実に成立していることを「事実」と呼び、可能的な事実を「事態」と呼ぶ。（226頁）

成立していることが事実であり、可能な事実が事態である。これは、例えば「目の前に文庫本がある」が事実だとすると、「目の前の文庫本が燃えている（現実には成立していない）」が事態というように考えてください。

ウィトゲンシュタインは事実から出発して、可能的な事態を考えていきます。これは普通の人の発想の逆ではないかと思います。

普通は、「いろいろな可能性がある中で一つの現実が成立した」と考えがちですが、ここでは現実というものがすでにあるという前提で、他に可能だった事態がどれくらいあるかを考えていくというのです。

例えば、「警察官が万引き犯を逮捕する」という事実を分解して、「万引き犯が警察官を逮捕する」と組み替える。「そんなことは実際には起こりえない」というのではなく、論理的には組み替え可能というのがポイントです。

学生時代に学んだ、数学の順列を思い出してください。3つの異なる数「1」「2」「3」を並べてできる数をすべてピックアップするようなイメージです。「213」というのは、たまたま成立している現実であって、論理的には「132」も「312」も可能です。

事実から出発して、可能性の限界に向けて考えている。これを覚えておきましょう。

二・一　われわれは事実の像を作る。
二・一一　像は、論理空間において、状況を、すなわち諸事態の成立・不成立を表す。
二・一二　像は現実に対する模型である。
二・一三　像の要素は像において対象に対応する。
二・一三一　像の要素は像において対象の代わりとなる。
（……）
二・一七　像が像という仕方で現実を――正誤はともかくとして――写しとっているために現実と共有していなければならないもの、それは写像形式である。（『論理哲学論考』19～20頁）

「像」というキーワード

ここで「像」というキーワードが出てきました。いきなり「像」といわれてもピンとこないかもしれませんが、「現実を写し取ったもの」と考えればよいでしょう。

例えば、空に浮かんでいる雲を絵に描いたり写真に撮ったり、あるいはふわふわした綿を雲に見立てて成形したものは「像」ということになります。しかし、実はもっと便利で強力な像があります。それは言語です。

「空に雲が浮かんでいる」といったときの「雲」という言葉自体が現物の写し取り＝像であるということです。言葉というのは非常に便利ですね。

先ほど、「警察官が万引き犯を逮捕する」という事実を分解して「万引き犯が警察官を逮捕する」へと組み替える、という話をしました。リアルな警察官を「警察官」という言葉に代替させ、リアルな万引き犯を「万引き犯」という言葉に代替させれば、「万引き犯が警察官を逮捕する」という可能な事態を簡単に表現することができます。ここでは、「言葉で事実や事態を写し取ることで思考していく」というくらいに理解しておきましょう。

なお、「万引き犯が警察官を逮捕する」という文章は、万引き犯が警察官を逮捕していないという事実を誤って写し取っている、あるいは成立していない事態を描いています。ウィトゲンシュタインは「写像」「写し取る」といった言葉も使っています。

事実と、事実を写し取った言語は一対一で対応していて、両方とも同じ数だけ存在しています。これを「写像理論」といいます。再び、解説から引用します。

『論考』が明らかにしようと狙う思考の限界は、像の限界、すなわち言語の限界と厳格に一致する（229頁）

思考の限界を、像＝言語の限界を通じて明らかにしようとする、というところを理解してください。

四　思考とは有意味な命題である。

四・〇〇一　命題の総体が言語である。

（……）

四・〇〇三　哲学的なことがらについて書かれてきた命題や問いのほとんどは、誤っているのではなく、ナンセンスなのである。それゆえ、この種の問いに答えを与えることなどおよそ不可能であり、われわれはただそれがナンセンスであると確かめることしかできない。哲学者たちの発するほとんどの問いと命題は、われわれが自分の言語の論理を理解していないことに基づいている。

（……）

四・〇〇三一　すべての哲学は「言語批判」である。（『論理哲学論考』39～40頁）

四・一一二　哲学の成果は「哲学的命題」ではない。諸命題の明確化である。
思考は、そのままではいわば不透明でぼやけている。哲学はそれを明晰にし、限界をはっきりさせねばならない。（51頁）

これまでの哲学はナンセンスだった！

ウィトゲンシュタインの狙いとキーワードを押さえたところで、後はわかりやすそうなところを選んで読んでいきます。

「思考とは有意味な命題である」「命題の総体が言語である」とあります。これも「考えることは言葉で写し取った事実や事態であり、それは言語でもあり、世界でもある」というくらいに解釈できます。

その上で、ウィトゲンシュタインは、「哲学的な命題や問いのほとんどはナンセンスである」といいます。例えば、「犬は白い」という命題は意味がありますが、「犬は2の倍数である」というのは論理的に成立していないのでナンセンスです。

従来の哲学は「魂は不死であるか」とか「神は実在するか」「人は他人に優しくすべきか」といった問いについて思考してきましたが、ウィトゲンシュタインにしてみれば、こういう問いは事実と対応しておらず、言語化できないナンセンスなことなので、答えを与えるのは不可能というわけです。

では、どうしてナンセンスな問いがまかり通ってきたかというと、言語の論理を理解していなかったからだ、と彼は主張します。だから、すべての哲学は「言語批判」ということになります。哲学で大事なのはナンセンスな問いを立てて考えることではなくて、あくまで言語でどこまで語りうるのかを見極めることなのです。

『論理哲学論考』は、「これまでの哲学者の問いの立て方が間違っていたから、哲学をやり直そう」という宣言の書だということが明らかになりました。まさに「いっさいの哲学的お喋りに終止符を打とうとする」という表現がぴったりです。

「哲学」というと、人生の奥深い問題について難しい言葉で語るものだとイメージしている人は多いでしょう。しかし、ウィトゲンシュタインにとって哲学は「どこまでが考えられる問題で、どこからが考えられない問題なのかという限界を明確にする仕事」でした。

考えられることは明晰に考えられる。考えられることが明確になれば、同時に考えられないことも明確になる。考えられないことについて考えるのはナンセンスである。

このように、ウィトゲンシュタインは、ひたすら問題をクリアにすることにこだわっているのです。

六・四一　世界の意義は世界の外になければならない。

（……）

六・四二　それゆえ倫理学の命題も存在しえない。
命題は［倫理という］より高い次元をまったく表現できない。

六・四二一　倫理が言い表しえぬものであることは明らかである。
倫理は超越論的である。（『論理哲学論考』144〜145頁）

六・五　答えが言い表しえないならば、問いを言い表すこともできない。
謎は存在しない。
問いが立てられうるのであれば、答えもまた与えられうる。（147頁）

七　語りえぬものについては、沈黙せねばならない。（149頁）

ウィトゲンシュタインは「皆殺しの天使」だった

途中を省略して最後に行きます。

これまでずっと論理的な話をしてきて、最後になって「いかに生きるか」について考える倫理に言及しています。ちょっと意外に思われるかもしれません。

まず「すべての命題は無価値である」とあります。**ウィトゲンシュタインによれば、世界の中ですべてはあるようにあり、すべては起こるように起こる。すべては偶然であり、世界に価値といえるようなものはありません。**

同じように、「○○をしなければならない」「○○が正しい」といった価値を語る倫理学の命題も世界には存在しえません。「倫理というのは言語で語りうる世界の外の話なんだ」ということです。

ただ、「いかに生きるべきか」とか「幸福に生きる」ということがどうでもいいといっているわけではありません。私なりに解釈をすると、**「語り得ないことは哲学なんかに期待していてもダメだよ。語り得ないということは、自分でちゃんと生き**

ろということなんだよ」ということです。

さて、最後の一文「語りえぬものについては、沈黙せねばならない」にたどりつきました。これはあまりにも有名なフレーズであり、聞いたことがある人も多いと思います。ここまで読み解いてくれれば「語ることができないことは、語らずに生きなければいけない」という文脈で理解できるはずです。

朝、太陽が昇って夜の闇が消えると、その辺りをさまよっていた幽霊たちが跡形もなく消え去る。それと同じように、ウィトゲンシュタインの論理空間の光に照らすと、哲学的な言説のほとんどは幽霊のように消えてしまいます。

「答えられない問題についてあれこれいい立て、人をたぶらかすのもいい加減にしろよ」。『論理哲学論考』から私たちが受け取るのはこういうメッセージです。

私がこの本から連想するのは、ファッションデザイナーのココ・シャネルです。ココ・シャネルは、コルセットでウエストを締めるという束縛に象徴される19世紀的なファッションをいわば皆殺しにして、社会に出て働く女性のファッションを確立しました。その革命的な仕事から、彼女は「皆殺しの天使」と呼ばれています。

ウィトゲンシュタインは、まさに哲学界における「皆殺しの天使」だったのです。

マルティン・ハイデガー
『存在と時間』
（熊野純彦訳／岩波文庫）

『存在と時間』を読む前に

マルティン・ハイデガー（1889～1976）はドイツの哲学者。ドイツ南部のメスキルヒという村に、教会の樽桶職人の子として生まれ、1909年、フライブルク大学神学部に入学。最初は神学を学んでいましたが、2年後に哲学に転じます。

以前からフッサールの現象学を学んでいましたが、1916年にフッサールがフライブルク大学の教授に就任し、二人は師弟関係を結ぶようになります。そして**ハイデガーはフッサールの現象学を発展させながら、人間を時間性として捉える実存の哲学を展開しました。**

1923年にマールブルク大学教授となり、1927年に発表したのが『存在と時間』です。『存在と時間』は第一次世界大戦後の世界で大ブームを引き起こしました。1928年には定年退職したフッサールの後任としてフライブルク大学に戻り、1933年には大学総長にもなります。しかし、このころ**ナチスに入党して、ナチスを支持する演説も行っています。**

戦後は、ナチスに協力したことを理由に、一時期教職から追放されましたが、1951

年に復職。亡くなるまで精力的な研究を続け、日本でも人気の哲学者です。

『存在と時間』を読む上でテキストとして選んだのは『存在と時間（一）～（四）』（熊野純彦訳、岩波文庫）です。ただし、そのまま読み進むのはもちろん、途中に差し挟まれている注解を丹念に読んでも、わかりにくさはなかなか解消しないように思います。

そこで解説書の力を借りて読み進めていくのがお勧めです。ただし、あまりにも要約されすぎた解説書を読んで納得してしまうのも危険です。

というのも、『存在と時間』には、「到来」「既往《きおう》」「現存在」「世界内存在」「世人」「投企《とうき》」「被投性《ひとうせい》」など、ハイデガー独特の用語が頻出します。こうした用語を無視して理解しようとすると、ハイデガーの本質からは離れてしまうからです。

そこで例えば、『ハイデガー哲学入門『存在と時間』を読む』（仲正昌樹著、講談社現代新書）などを入口にしてはいかがでしょうか。この本のよいところは、要所要所で岩波文庫版『存在と時間』を引用しながら、解説が加えられているところです。

『ハイデガー哲学入門『存在と時間』を読む』からさかのぼって、『存在と時間』を読んでみるなど、用語の理解を意識しながら読んでいきましょう。

もっとも固有な、関連を欠いた、追いこすことのできない可能性を、しかし現存在はあとから、またときおりじぶんの存在の経歴のなかで身につけるわけではない。かえって、現存在が実存するときには、現存在はすでにまたこの可能性のうちへと投げこまれているのである。（……）死をまえにしての不安は、個々人が抱く恣意的で偶然的な「脆弱な」気分ではない。それはむしろ現存在の根本的情態性であるから、現存在がじぶんのおわりへとかかわる被投的な存在として実存していることをあかす開示性なのである。（『存在と時間（三）』熊野純彦訳／岩波文庫／137〜138頁）

まず、死についての考え方を押さえる

『存在と時間』では、さまざまな哲学的概念について語られていますが、まず注目していただきたいのが死についての考え方です。

まず、『存在と時間』とタイトルにあるように、この本において時間が重要であることは想像がつくと思います。

一般的には、時間は過去→現在→未来へと流れていると考えられています。しかし、ハイデガーの時間論では、これまでの自分を引き受けることを「既往」、あるべき自分の可能性を「到来」と考えます。既往と到来が出合うところが現在です。時間は自分の外でただ流れていくものではない。あるべき自分の可能性を考え、これまでの自分を引き受けた上で、現在を生きようといっているのです。

そして、人間が時間について考えるとき、死という要素を避けて通ることはできません。死というのは自分が否定されるネガティブなものであり、死を意識すると暗い気持ちになります。

けれども、「いつか自分は死ぬ」と意識することによって、今の時間を大切にしようと思えたり、未来の可能性に向けて努力できたりすることもまた事実です。

ハイデガーは、死に対して私たちが感じる不安は、気分ではないといっています。この不安はもっと根源的なものです。

「追いこすことのできない可能性」「可能性のうちへと投げこまれている」などとあるように、ここでは「自分ではどうすることもできない状況に投げ込まれている」というニュアンスが読み取れます。この否応なく投げ込まれている状況を「被投性」といい、死が不可避であることを自覚し、覚悟を決めることを「先《せん》駆《く》的《てき》了解《りょうかい》」といいます。

人間以外の動物も死にますが、動物たちはいつかは死ぬことを意識しながら生きているとは思われません。死を先取る形で明確に意識できるのは人間だからです。

死に向かっての有限な時間を覚悟する人間のあり方を「実存《じつぞん》」といいます。

ハイデガーは、死というものを意識するのが人間本来の姿であるとしました。

そして、死を自覚して今をきちんと生きることが大切であるといいました。これが『存在と時間』の最大のエッセンスといえます。

誘惑、安らぎ、ならびに疎外によって、ところで、頽落が存在するしかたがしるしづけられる。死へとかかわる日常的な存在は、頽落したものとして、死をまえにしながら、そこから不断に逃避することなのである。（『存在と時間（三）』152頁）

ひとはこう言うものである。死は確実にやってくるが、とはいえ当分はまだやってこない。この「とはいえ～」によって、〈ひと〉は死の確実性を否認しているのだ。（『存在と時間（三）』168頁）

キーワード「頽落」に注目！

「死を前にして逃避する」「当分はまだやってこないと言う」

このあたりは私たちの実感に照らしても、非常にわかりやすい部分でしょう。

死ぬことを自覚しないまま、ごまかして生きることは、ハイデガーによれば人間にとって非本来的な生き方です。要するに、やるべきことをやらずに漫然と生きているということです。**この非本来的な生き方を「頽落《たいらく》」といいます。**頽落というのは、なじみのない言葉ですが、堕落と似たような意味で捉えればよいでしょう。ハイデガーは頽落状態にある人を世人（ダスマン）と呼びました。

確かに、誰もが頭では「人間は死ぬものであり、自分もいつかは死ぬ」と理解しています。ただ、いつの間にかそういった認識を忘れてしまい、あたかも人生が無限であるかのように毎日を生きています。そして、生きている今の時間を大切にしないで、ダラダラと無為に過ごしてしまうことがあります。

例えば、一晩中お酒を飲みながら同僚たちと上司の悪口を言い合ったり、漫然とスマホでYouTubeの動画に没入したりする。これが頽落状態です。もちろん愚痴を言えばストレス発散になりますし、YouTube の動画を見ることが無意味だとは思いません。ただ、惰性でダラダラと過ごしている人を見たら、ハイデガーはきっと「そんなことで、あなたは本当に人生を生きているといえるの？」と嘆くのではないでしょうか。

「もし今日が人生最後の日だとしたら、今やろうとしていることは本当に自分のやりたいことだろうか？」

これはアップルの創設者であるスティーブ・ジョブズによる有名なスピーチの一節です。まさに死を意識して今をしっかり生きようとする考え方を象徴しています。

このジョブズの考え方は、仏教の禅や日本の武士道にも通じるものがあります。例えば江戸時代の武人である山本常朝《やまもとつねとも》が書いた『葉隠《はがくれ》』という本があります。「武士道といふは、死ぬ事と見付けたり」という一節でも有名です。これは何も割腹自殺を勧めているわけではありません。死を意識して物事に当たれば、怖いものも迷いもなくなるし、やるべきことができるようになる、と説いているのです。

つまり、禅や武士道という文化的な背景を持つ日本人にとってハイデガーの思想は意外に理解しやすいといえるのです。

現存在が存在的にきわだっているのはむしろ、この存在者にとっては、じぶんの存在においてこの存在自身が問題であることによってである。現存在のこうした存在体制には、その場合たほう、現存在はじぶんの存在において、この存在に対して一箇の存在関係を有していることがぞくしている。この件がさらに意味するのは、現存在はなんらかの様式で明示的に、じぶんの存在においてみずからを理解していることにほかならない。この存在者に固有なことは、じぶんの存在とともに、またその存在をつうじて、存在がこの存在者自身に開示されているということである。存在了解とはそれ自身、現存在の存在が規定されたありかたである。現存在が存在的にきわだっているのは、現存在が存在論的に存在しているという事情によるのである。（『存在と時間（一）』112～113頁）

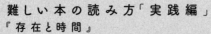

「現存在（ダーザイン）」も知っておく

ここからは、ハイデガー独自の用語について触れていきましょう。まずは「現存在（ダーザイン）」です。

例えば、「テーブルがある」ということを私たちは「机が存在する」とも表現します。そして私たち人間も、今ここに「存在する」といいます（なお、ハイデガーの用語では、物も動物も人間も「存在者」と呼ばれます）。

けれども、同じ「存在する」であっても両者には違いがあります。「机が存在する」「自分が存在する」ことを知り、考えることができるのは人間だけ。動物には意識はありそうですが、「自分が存在する」などと考えているとは思われません。

そこで、「存在する」と考えることのできる人間を「現存在（ダーザイン）」と呼びました。つまり、現存在＝人間です。

ちなみに、ダーはドイツ語で「そこ」を、ザインは「存在」を意味します。直訳すると「そこにいる」です。

現存在のこうした存在規定が、いまやしかし、私たちが世界内存在と名づける存在体制にもとづいてア・プリオリに見てとられ、理解されなければならない。現存在の分析論の正しい着手点は、この体制を解釈することにある。（『存在と時間（一）』266頁）

単独化によりあらわにされるのは、もっとも固有な存在可能が問題であるとき、配慮的に気づかわれたもののもとでの存在のすべて、他者たちとのあらゆる共同存在が、ものの役にもたたないということである。（『存在と時間（三）』191〜192頁）

「世界内存在」も確認しておきたいキーワード

人間（現存在）は「世界内存在」である、とハイデガーはいいます。「私たちが世界の内に存在している」といわれても、「当たり前だろう」と思ってしまいますが、ここで注目したいのは「世界」についての捉え方です。

『存在と時間』で「世界内存在」についての記述を読んでもよくわからない人は、前述した『ハイデガー哲学入門　『存在と時間』を読む』の解説に頼りましょう。

見方を変えれば、「私」が物心ついた時には、「私」はある一定の構造を持った世界の中に組み込まれて生きており、何気なく自分の意志で行動しているつもりでも、歩き方とか、手の振り方、眼の動かし方など、周囲の環境との関係で——本人が気づかないところで——規定され、一定の枠に入っている。（……）そのようにして、「私」たちの意識の背後で、「私」たちをいつのまにか取り巻き、私を様々な事物や他者と、一定の秩序に従って遭遇するよう仕向けている「世界」があるのではないか？（『ハイデガー哲学入門　『存在と時間』を読む』67～68頁）

つまり、世界というものとは別に、何も影響を受けないものとして人間がぽつんといるのではなく、どうやら人間がいることによって世界もできている、人間と世界が分かちがたくくっついているような状態を「世界内存在」と呼んでいるらしい、ということです。

例えば、机や椅子があるというとき、ただ客観的に何の脈絡もなく存在しているのではありません。机は私たちが仕事をしたり本を読んだりする道具として、椅子は私たちが座るものとして存在します。

このように「〇〇のために」という関係で存在していることを「道具連関」といいます。私たちは誰でも道具連関の中で生きています。こうした道具連関によって形成された世界に存在するあり方が「世界内存在」というわけです。

この考え方を少し発展させると、人間は自分の周りにある道具連関に働きかけ、いろいろなものに気遣い、配慮しながら存在しています。そして、自分たちがそれぞれの感覚に基づいて、選択しながら世界を作り上げています。

例えば、人によって経験や記憶は異なるため、同じ街の風景を見てもAさんは「ありきたりな街並みだな」と思うかもしれませんし、Bさんは「新鮮な景観だ。こんなところに住んでみたい」と思うかもしれません。そうやって、それぞれの世界を作り、それぞれの世界に生きているのです。

最後に、再び「死」という問題にからめて考えましょう。

「死」への先駆を通して本来的な自己存在が顕わになるのは、徹底した「単独化」によって、平均化された「ひと」への埋没が否応なく解除されるからである。（『ハイデガー哲学入門『存在と時間』を読む』143頁）

要するに、死は自分だけのものであり、死を前にすることで、人は自分本来のあり方に向かって投企される（自分自身を未来へ投げかけていく）ということです。

ハイデガーは「自分の人生を、そして自分の世界を一人ひとりが覚悟を持って生きよ」と語っているのです。

メルロー＝ポンティ
『知覚の現象学』
（竹内芳郎、小木貞孝訳、みすず書房）

『知覚の現象学』を読む前に

モーリス・メルロー＝ポンティ（１９０８〜１９６１）はフランスの哲学者。彼はフランス西部のロシュフォールに生まれ、エコール・ノルマル・シュペリウール（高等師範学校）に学び、第二次世界大戦に従軍した経験の持ち主です。

戦後はリヨン大学、ソルボンヌ大学、コレージュ・ド・フランス（国立の特別高等教育機関）の哲学教授を務め、哲学者・作家でもあるサルトルとともに「現代」誌の編集にも関わり、実存主義を牽引しました。その後、サルトルとは袂を分かち、**フッサールの現象学を独自に発展させ、身体を巡る独自の哲学を構想しました。**

このメルロー＝ポンティの有名な著作の一つが『知覚の現象学』です。私は現象学的な身体論を研究していたこともあり、このテキストをフランス語の原書で丁寧に読み込んだ経験があります。

確かに『知覚の現象学』は難解な本を代表する一冊です。日本語で読んでもややこしいですし、フランス語で読んでも一筋縄ではいかない。ただ、全編を読み通した後、非常に充実感を覚えました。彼の哲学を学んだことによって世界の見方が変わり、とても深く見ることができるようになったのです。

『知覚の現象学』が難解である理由の一つには、哲学の伝統的な知見が混ざっていることが挙げられます。メルロー＝ポンティは、フッサールやハイデガーといった先人の哲学者が編み出した用語と、心理学の用語を自在に組み合わせながら、自らの考察を記述しています。言葉では表現しにくい、意識の中の出来事についても記述しているので、必然的に抽象度が高くなっているのです。

また、前に言ったことを否定しながら話を展開していく弁証法的な記述をしているので、最初から素直に読んでいくと、結論がわからなくなることがあります。ですから、読み解くにあたっては用語を的確に理解し、独特な文体に慣れることが肝心です。

哲学史全体から見て、メルロー＝ポンティという人は超有名人というわけではありません。しかし、身体への意識が高まっている今の時代に、身体について考察したこのテキストを読むことには大きな意義があると思います。ぜひ、私が感じたあの充実感を共有してほしいと思っています。なお、本書では、みすず書房が刊行している『知覚の現象学』をテキストに選びました。

現象学の最も重要な収穫とは、おそらく、世界または合理性についてのその概念のなかで、極端な主観主義と極端な客観主義とを接合させたことにあるだろう。（……）現象学的世界とは、何か純粋存在といったようなものではなくて、私の諸経験の交叉点で、また私の経験と他者の経験との交叉点で、それら諸経験のからみ合いによってあらわれてくる意味なのである。したがって、それは主観性ならびに相互主観性ときり離すことのできないものであって、この主観性と相互主観性とは、私の過去の経験を私の現在の経験のなかで捉え直し、また他者の経験を私の経験のなかで捉え直すことによって、その統一をつくるものである。（『知覚の現象学1』竹内芳郎、小木貞孝訳／みすず書房／22〜23頁）

「相互主観性」を確認しておこう

難解な『知覚の現象学』は、いったいどこから攻略すればよいのか。実は、意外に読みやすいのが序文であり、まずは序文から素直に読むのがベストです。

ここには「主観主義と客観主義の対立を、相互主観性という概念でくっつけた」といった内容が書かれています。少しわかりやすく解説しましょう。

人間は一人ひとり主観を持っていて、その主観はバラバラなものです。ただ、主観はバラバラなようであって、共通点もあります。例えば、「ゾウは大きいね」という主観に対して、他者が「そうだね。ゾウは大きいね」と同意してくれることがあります（相互主観あるいは共同主観）。この場合「ゾウは大きい」は客観性として認識してもいいのではないか、ということです。

客観性そのものが厳然として私たちの外側にあるのではなくて、実は私たちの主観の共通点、主観性の束のようなものが相互主観として客観性のように扱われる。

それがわかると「私の経験と他者の経験との交叉点で、それら諸経験のからみ合いによってあらわれてくる意味」というのも理解できるはずです。
自分一人の主観性はただの思い込みかもしれませんが、他者の主観性と絡み合わせることで、ある意味があらわれてくる。自分の目にあらわれるものだけでなく、他の人が捉えている世界を絡み合わせながら捉えていく。

これが現象学的な世界というわけです。

相互主観性は「間主観性」とも言い、フッサールが最初に提示した概念です。例えば職場の会議で「君は何かにつけ客観性というけれども、それは結局のところ相互主観性にすぎないんじゃないか」「一通り皆さんのご意見を賜りました。職場を整理整頓すべきということで相互主観性が成立しましたね」などと発言できるようになれば、現象学に一歩足を踏み込んだことになります。

いずれにしても、ここでは「相互主観性」というキーワードをフッサールが使い始め、それをメルロー＝ポンティが『知覚の現象学』という本で捉え直したという点を押さえておけば十分です。

真の哲学とは、世界を見ることを学び直すことであって、その意味では、物語られた歴史も哲学論文とおなじだけの〈深さ〉をもって、世界を意味〔指示〕することができる。（『知覚の現象学1』24頁）

現象学が一つの学説ないしは一つの体系であるよりもまえに一つの運動であったとしても、それは何も偶然でもなければ詐欺でもない。現象学はバルザックの作品、プルーストの作品、ヴァレリーの作品、あるいはセザンヌの作品とおなじように、不断の辛苦である——おなじ種類の注意と驚異とをもって、おなじような意識の厳密さをもって、世界や歴史の意味をその生れ出づる状態において捉えようとするおなじ意志によって。こうした関係のもとで、現象学は現代思想の努力と合流するのである。（25頁）

現象学と芸術の共通点を知る

「真の哲学とは、世界を見ることを学び直すこと」というのは明快な文章です。

古代ギリシアの哲学者・プラトンが書いた『テアイテトス』（田中美知太郎訳、岩波文庫）には、自分が今まで知らなかったことにハッと気づく、その驚き（驚異の情といいます）こそが知恵を愛し求める者の情であり、知を愛し求めることが哲学の始まりである、といったソクラテスの教えが記述されています。

「世界を見ることを学び直す」は、ソクラテスの哲学観にも通じるものがあります。

次に「現象学が一つの……」の文章は何をいっているのか。ここでは「現象学は一つの学説ではなく、一つの運動である」というところに注目してください。学説は「○○である」と決めることです。これに対して現象学は世界を見るときの「技」のようなもの。「先入観に囚われず、技を使って新たに世界を見直しましょう」と提唱する運動なのです。

では、メルロー＝ポンティはどうやって世界を見直そうと提案しているのか。そこで例に挙げているのが芸術作品であり、中でも一番理解しやすいのは絵画だと思います。例えばセザンヌの絵画作品の中に、サント・ヴィクトワールという同じ山を、実に40回以上にわたって描いているシリーズがあります。対象は同じですが、描くたびに山は異なる表情を見せます。

セザンヌは「りんご一つでパリを驚かせたい」としばしば口にしていたことで知られています。「みんなは本当のりんごを見ていない。自分がりんごを描けば、みんなその美しさに感動するだろう」と考えていたのです。

先入観で「山（または、りんご）はこういう色形をしている」と決めつけるのはセザンヌ的でもなければ、現象学的でもありません。何度でも同じように注意深く、初めて見たときのように驚きながら、今の瞬間を丁寧に記述する。この作業が現象学といえるわけです。

私自身、静岡で毎日のように富士山を見て育ったのですが、最近久々に富士山を見て感動を新たにしました。刻一刻と違う姿をもって立ち現れる、その美しさに心を奪われたのです。「この富士山の美しさは、この瞬間だけ」。そう思いながら、世界を丁寧に見て記述するのが現象学なのです。

彼にとっては、その箇所を客観的空間のなかの座標軸との関連において位置づける必要はなく、自分の現象的〔主体的〕な身体の痛みを感じた或る場所に、自分の現象的な手でもって触れにゆきさえすればよいのだからであり、掻く能力としての手と掻くべき箇所としての刺された箇所とのあいだには、自己の身体の自然的体系のなかで一つの生きられた関係があたえられているからである。（……）同様にして、鋏と針と手なれた仕事とをまえにした患者は、自分の手なり指なりがどこにあるかをわざわざ探しにゆく必要はない。それというのも、そうしたものは客観的空間のなかに見いだすべき対象、骨や筋肉や神経などではなくて、鋏や針を知覚したとたんにもう動員された能力であり、患者とあたえられた対象とをつなぐもろもろの〈指向の糸〉を収斂する末端だからである。われわれが動かすものは、けっしてわれわれの客観的身体ではなくて、われわれの現象的身体である。（『知覚の現象学1』183〜184頁）

身体があるからこそ、世界を知覚する

現象学の大枠を理解したところで、わかりやすいところから『知覚と現象学』のエッセンスに触れていきましょう。

私たちは、何か身体に痛みを感じたとき、あるいはかゆみを感じたときに、そこに手を当てたり、掻いたりすることがあります。その際、いちいち座標軸の中で位置を特定しなくても、瞬間的に手が動いているはずです。これが「自己の身体の自然的体系のなかで一つの生きられた関係があたえられている」ということです。

「同様にして」の後に書かれている例もわかりやすいと思います。うまく手が使えなくなっている患者さんがいたとして、その人にハサミと針と手慣れた仕事が与えられると、サッと手に取って動かすことができるでしょう。身体が作業手順を全部知っていて、自動的に動いてしまうという感じです。

続けて「それというのも、そうしたものは（……）〈指向の糸〉を収斂する末端だから

である」とあります。〈指向の糸〉とは、意識の指向性（すべての意識は常に何ものかについての意識であること）を意味しています。

ここでの最大のポイントは文章の最後にある「現象的身体」という言葉です。「生きられた身体」「動いている身体」といったニュアンスで理解すればよいでしょう。

私たちがとっさに手を動かす理由は、身体を解剖してみてもわかりません。動く身体で私たちは世界を知覚し、世界を生きています。その私たちの身体には「指向性の玉」みたいなものが埋め込まれていて、手にハサミと針を持った瞬間に、それが作動して自動的に動いてしまう、というイメージでしょうか。

一言でまとめると、メルロー＝ポンティは「この世界に私たちは身体として存在している」といっています。それまで哲学の世界では身体はあまり重要視されてきませんでした。代表的なのが「心身二元論（心と身体は別物であり、身体は物体に近く、身体がなくても思考できるという考え方）」です。

これに対して、メルロー＝ポンティは「身体があるからこそ、世界を知覚するのだ」と考えたのです。

したがって、われわれの身体が空間のなかにあるとか、時間のなかにあるとかと、表現してはならない。われわれの身体は、空間や時間に住み込むのである。（『知覚の現象学1』235頁）

運動の各瞬間にあって、先行瞬間はすっかり忘失されてしまうのではなく、かえって現在のなかにいわば嵌め込まれてあるのであり、（……）運動の各瞬間はその運動の全拡がりを包摂しており、とりわけ運動開始という最初の瞬間は、ここかしこ、今と未来との連結の端緒をなし、その他の諸瞬間はけっきょくそれを展開するだけにとどまるだろう。（236頁）

帽子や自動車の大きさ、杖の長さに慣れることとは、それらのもののなかに身を据えつけること、あるいは逆に言って、それらのものを自分の身体の嵩ばりに与らせることである。習慣とは、あたらしい道具を自分に附加することによってわれわれの世界内存在を膨脹させること、ないしは実存の在り方を変えることの能力の表現である。（241頁）

身体を通じて世界とつながっている

『知覚の現象学1』では、235ページからのおおよそ10ページも、身体の運動について具体的にわかりやすい記述が続いています。

「私たちは身体として世界に住み込み、世界になじんでいる」とメルロー＝ポンティはいいます。例えば、アリが人間と同じような頭脳を持っていたなら、人間と同じように考えたり感じたりはせず、アリの身体を通して世界を捉えるということです。

次の「先行瞬間は現在の中に嵌め込まれる」は、具体的にゴルフのスイングを例に書き直すと、クラブヘッドがボールに当たる瞬間に、先行している運動（テイクバックして振り下ろす運動）は忘れ去られずにはめ込まれている、となります。一言でいうと、運動の各瞬間は全部現在に入っているということです。とりわけ、運動を開始する最初の瞬間ですべてが決まり、インパクトも一つの瞬間にすぎないといったことも書かれています。

各瞬間が連動していて、身体を通じて過去と未来がつながっている。実際に運動の経験がある人なら、肌感覚で理解できると思います。

「今の運動は、その前の運動とつながっている」

そういわれると、いかにも当たり前と思われるかもしれませんが、ここでは「現在の中に嵌め込まれる」「運動の全拡がりを包摂」といった独特な表現にメルロー＝ポンティらしさを味わっていただきたいのです。

次の「習慣は世界内存在を膨脹させる」とは、例えば車を運転できるようになったということは、自分の身体を車の車幅まで膨張させえたということです。テニスがうまくなったとは、ラケットの先まで自分の身体になったということ。つえをついて歩く人は、つえの先まで自分の身体にしています。こういった身体の膨張が世界内存在の膨張を意味しています。逆に、車幅感覚が身についていない運転初心者は、世界内存在を膨張させるまでの習慣が獲得されていないことになります。

メルロー＝ポンティは、その後もオルガン奏者の例などを挙げながら、道具が身体の一部になること、いろいろなスキルが身体によって獲得されることを示します。そう考えると、私たちが身体によって世界につながっているということが納得できます。

私は私の身体を或る種の行為の能力として、また或る世界に関する能力として体験するのであり、私が私自身にあたえられるのは、世界に向う或る手がかりとしてでしかないのだ。ところが、他者の身体を知覚するのも、まさしく私の身体なのであり、私の身体は他者の身体のうちに己れ自身の意図の奇蹟的な延長のようなもの、つまり世界を扱う馴染みの仕方を見いだすのである。以後、ちょうど私の身体の諸部分が相寄って一つの系をなしているように、他者の身体と私の身体もただ一つの全体をなし、ただ一つの現象の表裏となる。

（『知覚の現象学2』218頁）

他者の身体と私の身体が全体をなす

最後に『知覚の現象学2』の中から、少し高度な箇所も取り上げておきましょう。

ここでは、他者の身体を知覚するのも自分の身体であり、他者の身体と私の身体が一つの全体をなす、といっています。

私の身体が他者の身体に触れた瞬間に、世界を扱う馴染みの仕方を見つける。言ってみると、他者の身体が自分の身体の延長のようになるということです。これはメルロー＝ポンティの身体論を理解していない人には、結構難解な文章です。

世界というものを私たちが身体として知覚するように、実は他者をも自分の身体を通して感じ取っているのである。それも、「私が他者を認識する」というのではなく、他者の身体と私の身体が一つの全体をなすという形で感じ取っている。

このあたりは、西田幾多郎の「主客未分」という概念に近いような感じがします。いずれにしてもメルロー＝ポンティの緻密な文体に慣れれば、言わんとするところが理解できると思います。

エマニュエル・レヴィナス

『全体性と無限』

（藤岡俊博訳／講談社学術文庫）

『全体性と無限』を読む前に

エマニュエル・レヴィナス（1906〜1995）は、リトアニア生まれのユダヤ人。フランスのストラスブール大学で哲学を学んだ後、ドイツのフライブルク大学でフッサールやハイデガーに師事しました。第二次世界大戦にはフランス軍兵士として参加しますが、ドイツ軍の捕虜となり、収容所で終戦を迎えます。

戦後はフランスの大学で教鞭を執りながら、精力的な研究を続けました。1961年に発表された『全体性と無限』はレヴィナス第一の主著であり、この本によって彼は20世紀を代表する哲学者の一人となります。

哲学書を読み慣れている人は、レヴィナスの著書にちょっとした違和感を感じるかもしれません。レヴィナスの思想は、哲学よりも倫理学の色彩が強いところに特徴があるからです。彼の思想は、「人間は他者に対して倫理的な対応をすべきではないのか。倫理的な対応ができないならば、何か問題があるのではないか」という問いかけに集約されます。

レヴィナスは、もともとフッサールの現象学やハイデガーの存在論を研究しており、そうした哲学の影響を大きく受けています。しかし、おそらくレヴィナスは彼らの哲学がナチズムに抵抗できなかったこと、倫理的であろうとする欲求が感じられないことに不満を抱いていたのでしょう。

彼はナチスのユダヤ人虐殺により家族や親族、友人の多くを失っています。それゆえ、20世紀の悲惨な全体主義についての考察を避けて通ることはできませんでした。「なぜ人間が恐ろしい大量虐殺を犯し得たのか」

この問いが、研究をするにあたっての出発点となったのです。

現代においても、差別や戦争といった暴力の問題はまったく解決されていません。

今の時代に生きる私たちが、「いかに生きるべきか」「どうすれば価値観の異なる人たちと共存できるのか」といった問題を考えるとき、『全体性と無限』は大きなヒントを与えてくれるように思います。

懇願し、要求するこの眼差し（……）、すべてに権利をもつがゆえにすべてを奪われたこの眼差し、（……）このような眼差しが、まさに顔としての顔の公現《エピファニー》である。（『全体性と無限』藤岡俊博訳／講談社学術文庫／123頁）

殺人より強いこの無限は、他人の顔のうちですでに私たちに抵抗しており、他人の顔そのものであり、本源的な表出であり、「殺人を犯してはならない」という最初の言葉である。（……）この抵抗は、堅固かつ克服されざるものとして、他人の顔のうちで、眼の無防備な全面的裸性のうちで、〈超越者〉の絶対的な開示性がもつ裸性のうちで、きらめく。（352〜353頁）

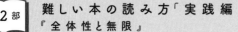

倫理的な問いを突きつける「顔」

『全体性と無限』を読み解く上で、第一に押さえておきたいのが「顔」というキーワードです。「顔」とは、文字通り私たちの頭部の前面にある顔のことです。顔が哲学のキーワードであると聞くと、意外に思われるかもしれません。そこにレヴィナスという哲学者のユニークさがあります。

「顔」はレヴィナスの思想の核心をなす概念であり、これを攻略すれば、後の理解がスムーズとなります。『レヴィナス　「顔」と形而上学のはざまで』（佐藤義之著、講談社学術文庫）では、顔という概念を次のように解説しています。

他者を前にして私は倫理的対応が求められているのを感じる。もしそれに応えないなら私はそのことの責任を負う。レヴィナスの「顔（visage）」という概念は、事象としてはこのような、私に道徳的対応を求めるものとしての他者の、対面の場での現出だといってよい。（『レヴィナス　「顔」と形而上学のはざまで』19頁）

ここでは、「顔＝私に道徳的対応をもとめるものとしての他者の現出である」といっています。

私がこの文章からイメージするのは、児童虐待を受けている子どもの顔です。ユダヤ人としてアウシュビッツに収容されたときの体験を描いた『夜と霧』（V・E・フランクル、霜山徳爾訳、みすず書房）という世界的な名著があります。この本のカバーには、ナチスに連行されているときの様子なのか、銃を突きつけられた人々が両手を挙げている写真が掲載されています。中央にはおびえた表情で手を挙げる少年がいます。私には、この少年の表情こそが「顔」ではないかと思われるのです。

子どもの顔は、脆弱さ、傷つきやすさ（「バルネラビリティ」といわれます）の象徴です。私たち人間は、無垢な子どもの顔を前にして、果たして暴力を加えることができるでしょうか。

あの顔を見てしまったら、本当は殺人などできないはずなのです。殺人を犯そうとする人は、おびえがむき出しとなった被害者の顔と対面し、目と目が合うときに「本当に殺していいのか？」という倫理的な問いを突きつけられます。

それでも現実に殺人を犯してしまう人は、被害者の顔から目を背けています。それは、ナチスがアウシュビッツに収容したユダヤ人たちを、一人ひとり囚人番号で管理し、顔を見ないままガス室に送り込んだという歴史が示しています。

そして、現代の私たちが直面しているSNS上の誹謗中傷も、顔が見えない匿名により書き込まれるケースが大半です。他者の顔に道徳的対応を求める力があるからこそ、加害者は顔を直視することを避けるのです。

他者の顔や眼差しは、暴力を犯そうとする人間に、自分の罪を自覚させるものでもあります。

> 脅える眼に、私は恐るべき非道を犯そうとしている自分が映っているのを感じ、自らの罪を感じ取るのである。（『レヴィナス　「顔」と形而上学のはざまで』20頁）

ドストエフスキーの『罪と罰』には、この状況を連想させる場面があります。主人公のラスコーリニコフは、学費を滞納して大学を除籍された人物。自分を評価してくれない社会に不満を抱き、粗末な下宿でくすぶりながら暮らしています。彼は、金貸しの老婆を殺して金を奪うという計画を思いつき、実行に移すのですが、あいにく老婆の妹・リザヴェータと鉢合わせしてしまい、彼女にも斧を振り下ろすのです。

この「意図しない第二の殺人」のシーンでは、リザヴェータが殺される瞬間の恐怖の表情が克明に描写されています。レヴィナスも、おそらく『罪と罰』を読んでいたはずですし、この場面を引用しなかったのが不思議なくらいです。

ラスコーリニコフは「一つの小さな悪は、百の善行に償われる」という大義名分のもと、老婆殺しを正当化します。実際、老婆殺しについては、ほとんど反省している様子がありません。

けれども、予定外だった妹の殺人は、彼の心にずっと重くのしかかります。ラスコーリニコフの罪の意識は、リザヴェータの「顔」を通じて、どこまでも膨張していくのです。

所有する可能性、言い換えれば、最初だけ、そして私《モア》との関わりにおいてのみ他なるものにすぎないものの他性それ自体を中断する可能性――それが〈同〉の様態である。（『全体性と無限』48頁）

〈他者〉が私のうちなる〈他者〉の観念をはみ出しながら現前する様態を、私たちはまさしく顔と呼ぶ。（72頁）

顔は内包されることを拒みながら現前している。この意味では、顔は了解されえない、言い換えれば、包含されえないものであるだろう。（343頁）

殺人より強いこの無限は、他人の顔のうちですでに私たちに抵抗しており、他人の顔そのものであり、本源的な表出であり、「殺人を犯してはならない」という最初の言葉である。（352頁）

同化することができないものとしての「他者」

次に読み解くキーワードは「同と他」です。「同と他」はテキストのタイトルである「全体性と無限」に対応する言葉でもあります。同＝全体性、他＝無限です。

「同」とは、一言でいうと「全部自分のものにしたい」ということ。他国を支配し、自国の領土や勢力を拡大しようとする帝国主義、あるいは所有へのこだわりは、「同」の現れといえます。

一方、「他」とは、同化しようとしてもできない他者を意味します。他者は、所有へのこだわりを拒むものとして立ちはだかります。つまり、「同」と「他」は対立関係にあります。

レヴィナスは、フッサールやハイデガーといったこれまでの西洋の哲学は、絶対的な「他」（絶対他）を無視して、すべてを同化させようとしていたと批判します。従来の哲学の試みは倫理的に間違っているから、倫理性を前提にしなければならないと主張しました。

彼の思想は、ホロコーストの反省を下敷きに展開されていますが、21世紀に生きる私たちにとっても決して無縁ではありません。

例えば、2020年には、アメリカで起きた白人警察官による黒人暴行死事件をきっかけに「Black Lives Matter」という社会運動が世界中に波及しました。

また、現在は「LGBT」と呼ばれるセクシャル・マイノリティ（性的少数者）に対する差別が問題にされています。LGBTという言葉や考えが生まれる以前は、性的少数者への差別がまかり通っていました。これは、多数者による同化圧力に他なりません。こういった同化への志向に対して、レヴィナスは意義を唱えているのです。

「他」は、先に解説した「顔」を含む概念であるということも、ぜひ確認しておきたいポイントです。「顔は包含されえない」。いわれてみると確かにその通りです。私は講演などの仕事で全国各地を訪れる機会がありますが、私の顔を見た現地の人から「あ、齋藤先生ですね」と声をかけられることがあります。

人間の顔は一つひとつが別物であり、同化されることを拒絶します。私たちは他者の顔を所有することはできません。『全体性と無限』というテキストでは、他者の顔は同化できないものの象徴として位置づけられています。

「他者」や「他者性」というと抽象的ですが、**「顔は同化できない絶対的なものだ」**といわれると、具体的に理解しやすくなるはずです。

では、改めて「他者」という概念を、倫理の問題と関連づけて解釈してみましょう。倫理の極限は「あなたは人を殺してはならない」ということです。この「殺してはならない」という倫理観は、いったいどこから生まれるのか。レヴィナスは、自分自身からではなく、他者の顔から表出すると語っています。他者の顔は無限そのものであり、「殺してはならない」という言葉でもあるというのです。

このように「顔・同（全体性）・他（無限）」というキーワードを把握すれば、『全体性と無限』でレヴィナスが伝えようとする思想のエッセンスを読み解けるようになります。

他者の顔が「あなたは人を殺してはならない」という。こういった他者性から出発するレヴィナスの倫理観は、「倫理観は自分で確立するもの」と考えてきた人にとって、非常に新鮮に聞こえるのではないでしょうか。

同調圧力の強い世界、特に日本のような国にあって、他者性を重視する倫理観の意義はますます高まっています。他者性に対する認識を失ったとき、私たちの社会はいとも簡単に全体主義に陥る可能性がある。レヴィナスの思想は、そのことを私たちに忠告しているのです。

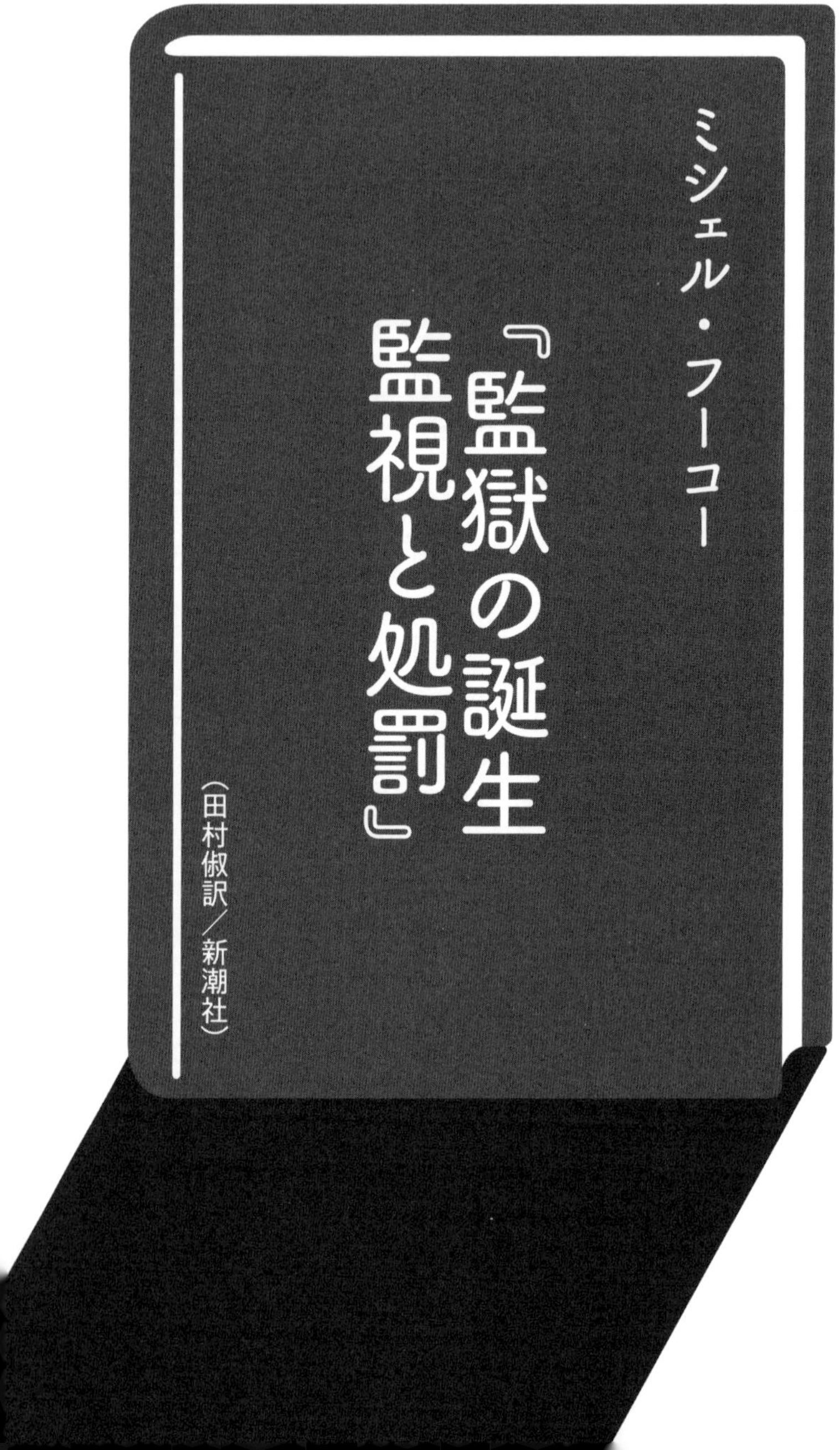
ミシェル・フーコー
『監獄の誕生
監視と処罰』
（田村俶訳／新潮社）

『監獄の誕生』を読む前に

ミシェル・フーコー（1926〜1984）はフランスの哲学者。1966年に発表した『言葉と物』がベストセラーとなり、一躍注目を集めるようになりました。彼は同性愛者としての苦悩を抱え、自殺未遂を起こした経験もあり、1984年にエイズによる敗血症で亡くなっています。

日本でもフーコーの人気は根強く、彼の著作は「難しいけれど読みたい」「読めると嬉しい」本の代表格といえます。そんな難しい本を書いたフーコーに、いったいどのようにアプローチすればよいのか。まずはたくさんの著作の中から、比較的具体性があって理解しやすいものを選ぶのが得策です。その意味では、代表作である『言葉と物』は議論が少々錯綜していて、抽象度が高い印象があります。

それに比較すると『狂気の歴史』は、精神病がつくられた経緯を具体的に記述しており、読みやすいと同時にフーコーらしい分析を味わうことができます。

中でも特に私がお勧めするのは『監獄の誕生』です。この本は、権力の主体がいつの間にか曖昧になり、人が自発的に服従してしまうプロセスを論じた本です。

私は、学生時代に栗原彬《くりはらあきら》先生（現立教大学名誉教授）のゼミで、この本を担当して発表を行った経験があります。その際、栗原先生が「一望監視方式《パノプティコン》のところを中心にまとめるとよいですから」とアドバイスをくださり、大変アプローチしやすくなったのを覚えています。

栗原先生のアドバイスはまさに至言であり、**「一望監視方式」というキーワードを理解できるかどうかが本書を読み解く上でのカギ**となります。

本書のメインとなるのは第三部のおよそ100ページ。これだけ読めば十分です。ただ、それでもハードルが高そうに感じられる人は、例えば『フーコー入門』（中山元著、ちくま新書）などの解説書を手に取ってみましょう。

中山元《なかやまげん》さんの本で、『監獄の誕生』に触れているのは、わずか20ページ強。しかも、実際に権力について解説しているのは14ページ。この解説を『監獄の誕生』と照らし合わせながら読めば鬼に金棒です。

なお、今回訳書として選んだのは新潮社版の『監獄の誕生』です。2020年に新装版が刊行され、非常に読みやすい作りとなっています。

身体を、かたまりとして、大ざっぱに扱うのが問題なのではなく、細部にわたって身体に働きかけること、微細な強制権を身体に行使すること、力学の水準そのものにおける影響——運動・動作・姿勢・速さを確実に与えることが重要である。つまり、活動的な身体へおよぶ無限小の権力である。

（……）

身体の運用への綿密な取締りを可能にし、体力の恒常的な束縛をゆるぎないものとし、体力に従順＝効用の関係を強制するこうした方法こそが、《規律《ディシプリーヌ》・訓練 discipline》と名づけうるものである。（『〈新装版〉監獄の誕生 監視と処罰』（田村俶訳／新潮社／159頁）

細部にたいする緻密な観察は、と同時に、人間の取締りと活用を目ざした、例の些細なものへの政治的配慮は、古典主義時代をつらぬいて高まっていき、それらには諸技術の一つの総体が、また方策と知にかんする、記述にかんする、対応策と既知の諸条件にかんするそれぞれの全体がふくまれる。そして、こうした些事から、おそらくは、近代ヒューマニズムにおける人間が誕生したにちがいないのである。（164頁）

まず「規律・訓練」の定義を押さえる

難しい本を読むコツの一つは、大事なところだけを読む、でした。『監獄の誕生』も律儀に最初から読む必要はありません。

本書の肝となるのは「第三部　規律・訓練」であり、それ以外は、少々乱暴ですが「前置き」と「おまけ」と考えてしまってかまいません。

第三部は、ページ数にしておおよそ100ページ。一、二、四部はざっと流し読みをして、三部だけしっかり読み込んで理解すれば、『監獄の誕生』のおおよそ7～9割方は把握できると思います。

たとえるなら、旅程の3分の2は特急列車で通過し、残り3分の1だけ各駅停車に乗って、のんびり車窓を眺めるようなイメージです。「100ページだけ読めばいい」といわれると、少し気が楽になるのではないでしょうか。

では、さっそく「規律・訓練（discipline)」の部分を読んでいきましょう。まずは「規律・訓練」の定義をきちんと押さえておく必要があります。

規律・訓練とは、一言でいえば「従順になるように訓練する」ということ。文章の途中に「力学」といった単語があるので、文系の人は拒否反応を示してしまいそうですが、「身体を塊として扱うのではなく、細部に働きかける」というところが理解できれば十分です。

全体としてまとめると、権力が身体に対して働きかけるときには二つのあり方があります。一つは、大雑把なあり方。身体を大きな塊と捉えて、ひとまとまりに暗い牢屋に閉じ込めるようなイメージです。この権力はわかりやすい。フーコーの標的はこれではありません。

そしてもう一つは、身体の細部に働きかけて規律・訓練するあり方。軍隊モノの映画などを観ていると、「頭を下げろ!」「10秒で位置につけ!」などと、鬼軍曹が訓練兵たちの姿勢や動作のスピードなどを細かく統率する場面が出てきます。そんなイメージに近いと思います。

こういった規律・訓練こそが、フーコーが批判したいミクロな権力である、ということを理解しておけば、最初のハードルはクリアしたも同然です。

次に「細部にたいする……政治的配慮」というキーフレーズが出てきました。この文章もけっして難解ではなく、18世紀の古典主義時代を通じて、細部を観察し、人間がサボらないように取り締まって活用することを目指してきたという経緯が理解できます。

その後も「諸技術の一つの総体が……」などの文章がしばらく続きますが、ここは読み飛ばしてしまってかまいません。要するに、「その結果、近代ヒューマニズムにおける人間が誕生した」という結論がわかればよいのです。

「近代ヒューマニズムにおける人間」というと、私たちはなんとなく「よいもの」「ありがたいもの」「それ以前の時代と比較して成熟したもの」と認識しています。

しかし、近代のヒューマニズムは、実は監視とセットで誕生したという事実が明らかにされています。そこに意外さと不気味さが感じられるのではないでしょうか。

「discipline によって従順な身体というものができ、細部にわたって無限小の権力が働きかける。これが近代ヒューマニズムにおける人間ということですよね」

例えば、こんな具合に『監獄の誕生』のキーワードを使って内容を再現できれば、フーコー的な物の見方が獲得されたということになります。

規律《ディシプリーヌ》・訓練は《独房》・《座席》・《序列》の組織化によって、複合的な空間を、つまり建築的など同時に機能的で階層秩序的な空間をつくりだす。（……）個々人の服従を、さらに時間ならびに動作の最上の節約を確保する。（『〈新装版〉監獄の誕生 監視と処罰』171頁）

行為は諸要素に分解され、身体の、手足の、関節の位置は規定され、一つ一つの動作には方向と広がりと所要時間が指示されて、それらの順序が定められる。時間が身体深くにしみわたるのである、それにともなって権力によるすべての綿密な取締りが。（175頁）

要約して言うとすれば、規律・訓練は規制する身体をもとにして四つの型の個人性を、というよりむしろ、四つの性格のそなわった個人性を造りだすのである。つまりそれは（……）独房的であり、（……）有機的であり、（……）段階的形成を旨とし、（……）組合せを旨とする。（……）この知をこそ、十八世紀の理論家たちは、（……）軍事上の実務全体の一般的基礎だと考えていた。（191頁）

「権力の見えない化」

ここではまず、空間について述べている文章を取り上げます。例えば、学校の教室で試験の成績順に座席があてがわれると、生徒は強力に管理されることになります。空間を通じた「規律・訓練」によって、だんだん服従的にされていくわけです。

そうやって人間を服従させていくとき、動作にかける時間、手足や関節の動きまで指示されると、身体の奥深くまで権力が入り込むことになる。それが「行為は諸要素に分解されれ……」以下の文章で示されています。

規律・訓練を通して身体の中にミクロに権力が入り込んでいく。そんな様子を思い描けるようになれば、おおよそ理解できたといってかまいません。

続けて読み進めると「要約して言うとすれば……」の文章があります。せっかく要約してくれているので、ここは丁寧に読むのがポイントです。

規律・訓練は四つの性格の備わった個人性を造る、という具合に、これまでの服従のプロセスをおさらいしています。「有機的」というのは強いスポーツチームなどを分析するときに使われることが多く、ポジティブな言葉に思えますが、軍隊などで兵員の特性を活かして「視力のいい人を監視係に配置し、タフな人を前線に配置し……」など、人を有機的に活用する文脈で読むと怖さが感じられます。

軍隊では、ある戦術を実行しようとするとき、それぞれの役割に沿った訓練が行われます。力を計画的に組み合わせて増大させ、それを活用するため、18世紀の理論家たちは規律・訓練を軍事利用したというわけです。

ここで「知」という言葉が使われているのに注目してください。戦術に沿って人間が最も力を出せるように、まるで部品のように訓練する。そんな権力に関する「悪知恵」がすさまじい勢いで獲得されていったのが18世紀という時代だったのです。

さて、ここまでで「第三部　規律・訓練」のうち「第一章　従順な身体」を読み終えました。

改めて考えてみると、私たちが学んできた小学校や中学校でも、「起立・礼」という号令から始まって、従順な身体を作り上げられてきました。

では、今の日本社会で、権力が身体の細部にまで行き届いて、当人が従順になっているケースはあるでしょうか。

例えば、職場内で監視カメラを設置している会社があります。現在はテレワークもかなり浸透してきましたが、自宅でパソコンを使用中に作業画面が撮影されたり、キーボードの操作ログが可視化されるツールを導入する会社もあります。もし、在宅勤務中にサボっている人がいたら、管理者によって低評価がつけられることもあるのでしょう。いずれ、この種のデータを監視する役割をＡＩが担っていくことは容易に想像がつきます。

さらに技術が進化すれば、ウェアラブルデバイスによって従業員のパフォーマンスが数値化される事態が到来するかもしれません。そうなれば、もはや厳しく命令しなくても従順な身体ができあがります。数値の見える化に対して、「権力の見えない化」が加速するのです。

フーコーは、そういう「見えない権力」こそが怖いのだと指摘しています。『監獄の誕生』を「権力の見えない化について解説した本」だと理解すれば、第一章の文章は、それほど難しくなくなります。

規格化をおこなう権力は等質性を強制するが、他面それは逸脱を測定したり水準を規定したり特性を定めたり、差異を相互に調整しつつ有益にしたりを可能にすることで、個別化をおこなうのである。（『〈新装版〉監獄の誕生 監視と処罰』213頁）

監視をおこなう階層秩序の諸技術と規格化をおこなう制裁の諸技術とを結び合わせるのが、試験である。それは規格化の視線であり、資格付与と分類と処罰とを可能にする監視である。ある可視性をとおして個々人が差異をつけられ、また制裁を加えられるのだが、試験はそうした可視性を個々人にたいして設定するのである。（213頁）

つまり、人間にかんする諸科学が存立可能になった時期とは、権力の新しい技術論、および身体にかんする別種の政治的解剖学が用いられた時期なのである。（223頁）

「規格化」「試験」などのキーワードをチェック

続く第二章「良き訓育の手段」は、第一章の内容と連続するものですから、まったく意味不明ではないはずです。第二章は、気になるキーワードを拾っていくイメージで読めばよいでしょう。

例えば、「規格化」という言葉が出てきます。規格化は「標準化」と同じく、等質性を強制するような意味合いで使われています。「規格化をおこなう……」の部分は、簡単にいうと、**権力は規格に合った等質な人間を作ると同時に、個別化も進めて活用する**ということです。

「試験」というキーワードにも注目です。学校が試験を繰り返すことで、個人は能力を試され、見られ続けます。試験は規格化や制裁を行うためのものであることが明らかにされています。

この章の終わりでは、人間に関していろいろな研究が進んだ一方で、権力の新しい技術の利用が同時並行したと結論づけています。文章は難解ですが、主張は第一章から一貫しています。

ベンサムの考えついた〈一望監視施設《パノプティコン》〉は、こうした組合せの建築学的な形象である。その原理はよく知られるとおりであって、周囲には円環状の建物、中心に塔を配して、塔には円周状にそれを取巻く建物の内側に面して大きい窓がいくつもつけられる（……）。周囲の建物は独房に区分けされ、そのひとつひとつが建物の奥行をそっくり占める。（『〈新装版〉監獄の誕生 監視と処罰』231頁）

〈一望監視装置〉は、見る＝見られるという一対の事態を切離す機械仕掛であって、その円周状の建物の内部では人は完全に見られるが、けっして見るわけにはいかず、中央部の塔のなかからは人はいっさいを見るが、けっして見られはしないのである。（233頁）

つまり可視性の領域を押しつけられ、その事態を承知する者（……）は、みずから権力による強制に責任をもち、自発的にその強制を自分自身へ働かせる。（234頁）

本書のクライマックス「一望監視方式」

さて、いよいよ本書のクライマックスである「第三章　一望監視方式」に到達しました。フーコーについて本当に最低限知っておきたい人は、この章だけを読む方法があります。あるいは、この章を最初に読んだ上で、さかのぼって一、二章を読むのもアリです。いずれにしても第三章は35ページ程度と短いので、読めないとはいわせません。

「一望監視施設」というのは、イギリスの哲学者であるベンサムが考案した刑務所の建築様式です。中央に配置された監視塔をドーナツ状に取り囲む形で、獄舎が並んでいます。真ん中に監視塔があれば、一人の看守がたくさんの囚人を効率良く監視できるという仕組みです。

かつての監獄が、暗い部屋に大勢の囚人をいっぺんに押し込める形式だったのに対して、新しい様式では明るい個別の部屋に囚人を入れます。中央の監視塔は暗いので、看守からは囚人の様子が一望できますが、囚人のほうからは看守の姿は見えません。この仕組みは「見る―見られる」の対等な関係ではなく、監視側に一方的に力がある非対称な関係を成立させます。

こういった非対称な関係に慣れると、囚人は自分で自分を服従させるようになります。囚人は常に監視の視線を意識し、実際には監視されていなくても監視の視線を内面化して従順になります。つまり、自分自身の中に権力を組み込み、自発的に自分を監視してしまうのです。これをフーコーは「自発的服従」と名づけました。

本当は、権力関係というのは、権力を振るう人と権力を振るわれる人との間で成立していたはずですが、人が自発的に自分に向けて権力を振るうようになる。つまり、権力が自動化していくというのが本書最大のポイントです。

本書の口絵には、独房の中で監視塔に向かって祈りを捧げている囚人の姿が描かれています。囚人がおとなしく服従するだけならよいのですが、自分を監視している塔に向かって祈りを捧げるというのは異常な光景です。そこにあるのは、自分を支配しようとする力に対して、反抗するより服従したほうが楽であり癒やしであるとの認識です。

権力の「見えない化・自動化」が進めば、権力者にとってはこれほど楽で都合のよい世の中はありません。フーコーは、そうした権力の恐ろしさを危惧していたのです。

ベンサムが考案した一望監視方式というのは、刑務所で生活していない私たちには縁遠い世界の話です。しかし、刑務所での監視というのは、あくまでも一つのモデルにすぎません。

もう少し自分にリアリティのある具体例を思い浮かべると、本書の内容が実感できると思います。例えば、前述したテレワークの業務管理ツールを思い出してください。一昔前なら、この手のツールが導入されそうになったら、「そこまで管理されるのは我慢ならない」と、社員たちの猛反発が起こったかもしれません。

けれども、今の現役の会社員の多くは「あまり気分はよくないけど、こうしたほうが生産性が上がるなら、いいんじゃないの」といった感じで受け入れるのではないでしょうか。「これって気がつかないうちに自分を監視して、従順な身体にされている証拠ではないか」と考えると、フーコーのいっていることがわかるような気がするでしょう。

なお、フーコーが権力や監視の問題に敏感だったのは、彼が同性愛者だったこととも関係しています。同性愛への偏見や差別に対する怒りや危機感が、監視社会への鋭い批判のもとになったと考えられます。

ジョン・ロールズ

『正義論』

（川本隆史、福間聡、神島裕子訳／紀伊國屋書店）

『正義論』を読む前に

ジョン・ロールズ（1921〜2002）はアメリカの政治哲学者。プリンストン大学で学び、アメリカ陸軍に入隊。第二次世界大戦後の日本に占領軍の一員として赴き、原爆が投下されて間もない広島にも足を踏み入れています。

軍隊を除隊後は、母校であるプリンストン大学やハーバード大学で教鞭を執り、1971年に発表した『正義論』で世界的に知られる存在となりました。1995年には広島・長崎への原爆投下が道徳上の不正行為であったと発言していますが、おそらく広島の惨状を目撃した体験が背景にあったと思われます。

『正義論』は、本書で紹介する他の難しい本と比較すると、少し趣が異なります。日本語訳で800ページ近くもある分厚い本なので、一見すると難しそうですが、実は非常にわかりやすい本なのです。そもそも英語で書かれた本は明快なものが多いのですが、この本も例に漏れず論旨が明快です。

ロールズ自身「本書はページ数が多いだけではなく、たくさんの節に分かれた冗長な代物となっている」と書いています。要するに、仕事が丁寧すぎるあまり大部の著書となってしまったのでしょう。

さて『正義論』は、その分厚さゆえに最初から読み通そうとすると骨が折れます。その場合は「訳者あとがき」から先に目を通すことをお勧めします。ここには『正義論』のエッセンスが簡潔にまとめられており、おおよその内容を把握できるはずです。

この予備知識をもとに「正義の二原理」などの本書の核となる部分を読んだ後には、興味のある部分を選択的に読んでいくのもよいでしょう。例えば、憲法に興味のある人は「第36節 政治的正義と憲法」の部分を読む、という具合です。その際、**最初に目次のページをコピーしておき、読み終わった部分にはしるしを付けてキーワードなどを書き込むとよいでしょう。**記憶にも残りやすく人に説明するときにも役立ちます。

『正義論』は分厚く高価な本ですから、図書館で借りるのも一つの方法ですが、あえて購入して蔵書とするのもよいと思います。「書棚に自分が読んだ大部の思想書がある」というのは自信にもつながり、なかなかあなどれない効果があります。

つまり私が「公正としての正義」と呼ぶ構想について、註釈しておこう。〈公正としての正義〉の中心理念および達成目標とは、立憲デモクラシーの哲学的な擁護論のひとつを構想しようとするところにある、と考えている。そしてたとえ〈公正としての正義〉が完璧な説得力を備えていないとしても、この構想が広範な人びとの思慮深い政治的意見に照らしても妥当(reasonable)かつ有効であり、したがってデモクラシーの伝統が共有する核心の本質的な部分を表現したものであってほしい——そう私は希望する。(『正義論』川本隆史、福間聡、神島裕子訳/紀伊國屋書店/xii頁)

ロック、ルソー、カントに代表される社会契約の伝統的理論を一般化し、抽象化の程度を高めること、私が企ててきたのはこれである。(xxi頁)

原初状態からの思考実験

本書の序文には、ロールズの狙いとするところがすべてクリアに書かれています。つまり、序文を読めば、ほぼ読み違える心配はなくなります。

ロールズはこの序文で、イギリスの哲学者であるベンサムが考案した功利主義を乗り越える、もっと安定感のある思想的な基盤を打ち立てたいという希望を述べています。

功利主義というのは、「最大多数個人の最大幸福」を原理とする思想です。簡単にいうと、できるだけ多くの人に幸福をもたらすことを善とする発想です。

例えば、日本国憲法では基本的人権が保障されていますが、基本的人権が功利主義に基づいているとすると、「おおよそ大多数の人が幸福と感じられるような落としどころを見つければいい」「多数派の基本的人権のためには、少数派に少し人権を我慢してもらうのは仕方がない」ということになりかねません。

ロールズは、そういう不安定な基盤に代わって、もっと根本的な原理を人権理論の基礎に据えようと考えました。それが「公正としての正義」という概念です。

「公正としての正義」は『正義論』において絶対的なキーワードであり、公正としての正義を基礎とすれば、強固な建造物(自由や人権)が成立するというわけです。

ロールズは「公正としての正義」を提示するにあたって、ロックやルソー、カントに代表される伝統的な社会契約論に立ち戻り、その現代版を再構築しようと試みました。

そこで彼は「原初状態」から思考を始めます。原初状態とは、各人が自分の能力や境遇の一切を知らない、「無知のヴェール」に覆われた状態を意味します。過去にそういう状態があったということではなく、あくまで仮定の世界です。

原初状態では、自分が金持ちの家庭に生まれているのか、貧しい家庭で育っているのかはわかりません。男女や年齢、国籍も不明ですし、身体に不自由があるかどうか、どの程度の教育を受けているのかもわかりません。

そんな状態で、どんな原則を打ち立てればみんなが合意できるのかという思考実験を行ったのです。

結果的にロールズは、二つの原理を導き出すに至ります。

第一原理

各人は、平等な基本的諸自由の最も広範な全システムに対する対等な権利を保持すべきである。ただし最も広範な全システムといっても〔無制限なものではなく〕すべての人の自由の同様〔に広範〕な体系と両立可能なものでなければならない。

第二原理

社会的・経済的不平等は、次の二条件を充たすように編成されなければならない。

(a)そうした不平等が、正義にかなった貯蓄原理と首尾一貫しつつ、最も不遇な人びとの最大の便益に資するように。

(b)公正な機会均等の諸条件のもとで、全員に開かれている職務と地位に付帯する〔ものだけに不平等がとどまる〕ように。（『正義論』402〜403頁）

「第一原理」と「第二原理」

ロールズが見出した原理は、人権宣言や日本国憲法にもつながっているものなので、格段に斬新なものではありません。ロールズ自身も、自らの見解には独創性がないということを素直に認めています。

第一原理は、一人ひとりは対等な権利を持つべきであるが、他の人の自由を侵害してはならない。要するに、他の人の自由と両立する限りは、最大限自由を認めるべきであるということです。

そして第二原理は、「世の中に不平等があるかもしれないけれど、その不平等は最も恵まれない人の利益にかなうときには許される」ということです。

例えば、今の世の中では、「ＧＡＦＡ」と呼ばれるグーグル（Google）、アップル（Apple）、フェイスブック（Facebook）、アマゾン（Amazon）の4社の巨大化が加速しています。

ＧＡＦＡは、たった4社だけで日本の税収をしのぐ莫大な利益を上げており、4社が世界中のデータや富を吸い上げるさまは「ニューモノポリー（新独占）」ともいわれています。

GAFAへの富の集中により不平等が起きていますが、もし4社が集めたお金を恵まれない人々のために使うようなことがあれば、それは第二原理にかなっていることになります(現実には、一方的に富をかき集めるケースがほとんどのように見えますが)。

「公正な機会均等」というのも重要なポイントです。例えば、「大企業に入社すると高額な給与と退職金が保証される」とすると、大企業に入社するための機会が均等に与えられなければなりません。

ところが、実際には、教育社会学者の舞田《まいた》敏彦《としひこ》氏の調査によって、東大生の親の世帯年収は54・8パーセントが年収950万円以上であるというデータが明らかになっています。同世代の親の世帯年収950万円以上が22・0%であるのと比較すると、親の経済格差が教育格差を助長し、機会不平等を生んでいるのではないかとの疑念が生じます。

もちろん東大入試自体はフェアに行われていますが、東大入試合格にはそれなりの経済的投資が必要なため、社会階層の再生産につながっているとも考えられます。ロールズは、こうした不平等や不均等を解消するために二つの原理を提示しているのです。

多数派が望むことは正しいと断ずる見解には意味がないことになる。(……)所与の情況においては(……)多数派が法を制定する憲法上の権利を有することが正当化されるけれども、制定された法が正義にかなっていることは含意されない。(『正義論』470頁)

多数決が正しいわけではない!?

第54節でロールズは多数決ルールの位置づけについて言及しています。

私たちは小学校などで民主主義とは多数決であると教わってきました。二つの選択肢のうち一つを選ぶときには、クラス全員に手を挙げてもらい、過半数を獲得したほうのプランを採用するのが公正であるという考え方です。

ところが、**ロールズは「多数派の意見だから正しいということはない」と語っています。**多数決の正義を一刀両断しています。彼は、多数派の意見が適確である可能性について、統計的な観点も持ち出しながらさまざまに解説しています。

確かに、例えば、ヤマト民族とアイヌ民族の利益が相反している状況があるとして、多数決で解決策を決定すると、多数派であるヤマト民族に有利な結論が導き出されるでしょう。しかし、それで本当に公正なのかと問われると、「過半数が支持しているのだから仕方がない」では割り切れません。

「こんなふうに常に多数派が得する状況って、本当にいいのだろうか」

そういったロールズの正義感に共感できると、この分厚い本から、ロールズが丁寧に説得していることが素直に伝わってきます。全編を几帳面に読まなくても、気になったところを拾い読みするだけでも、何となく今どんな議論がなされているのかがわかるようになります。

今、私たちの社会では格差の是正が課題となっています。また、ＳＮＳの普及にともない、情報流出や、誹謗中傷・フェイクニュースなどによる人権侵害の問題もクローズアップされています。このような中、個人と社会はどうあるべきなのでしょうか。『正義論』を一つの材料として思考することによって、自分自身が人類の発展の歴史に関わっているという実感を得られるに違いありません。

トマ・ピケティ
『21世紀の資本』
（山形浩生、守岡桜、森本正史訳／みすず書房）

『21世紀の資本』を読む前に

フランスの経済学者であるトマ・ピケティ（1971〜）は、パリ郊外のクリシー生まれ。1968年のパリ革命にも参加した労働運動の闘士を両親に持ち、18歳で名門校であるパリの国立高等師範学校（ENS）に進学。経済学に関心を持ち、富の再分配について研究を行うようになりました。22歳のとき博士号を取得し、フランス経済学会から年間最優秀論文賞を受賞しています。

アメリカに渡り、マサチューセッツ工科大学で助教授として教鞭を執った後、ピケティはフランスに戻り、フランス国立科学研究センター（CNRS）で研究を行うようになります。

そして2000年に、社会科学高等研究院（EHESS）の研究代表者に就任。さらに、パリ経済学校の創設に関わり、現在は教授を務めています。

『21世紀の資本』は2013年にフランスで刊行され、2014年に英語版が発売されると世界的な大ベストセラーとなりました。日本語版も2014年末にみすず書房から刊行され、定価が5500円と高額な本にもかかわらず、大きな反響を呼びました。

格差の是正を訴える本書がベストセラーになった背景には、世界的な格差の拡大とそれに対する問題意識があったといえます。

この『21世紀の資本』はジョン・ロールズ『正義論』と同じグループに属する本と理解して差し支えありません。つまり、「分厚いからパッと見は読みにくそうだけれど、実は非常にわかりやすい本」ということです。

この本がベストセラーになったとき、『ピケティの『21世紀の資本』が○分でわかる』式の解説書が書店にあふれました。解説書が刊行されたのは、難しすぎるからというより、「分厚い本をお手軽に理解したい」というニーズがあったからでしょう。

もともと『21世紀の資本』自体の論旨が明快なので、どの解説書を選んでも理解を誤るおそれはなく、お手軽にエッセンスをつかむことが可能です。ただ、せっかくなので読者の皆さんにはお手軽な解説書で済ませるのではなく、翻訳された原著に挑んでいただきたいと思います。

他の難しい本と同様、著者の狙いと主張の核心をつかまえれば、恐るるに足りません。では、早速、ポイントをかいつまんで紹介していきましょう。

富の分配は、今日最も広く議論されて意見の分かれる問題のひとつだ。でもそれが長期にわたり、どう推移してきたかについて、本当にわかっているのは何だろう？　19世紀にマルクスが信じていたように、私的な資本蓄積の力学により、富はますます少数者の手に集中してしまうのが必然なのだろうか？　それともサイモン・クズネッツが20世紀に考えたように、成長と競争、技術進歩という均衡力のおかげで、発展の後期段階では階級間の格差が縮まり、もっと調和が高まるのだろうか？　18世紀以来、富と所得がどう推移してきたかについて、本当にわかっていることは何だろうか、そしてその知識から、今世紀についてのどんな教訓を引き出せるだろうか？

本書で答えようとするのはこうした問題だ。（『21世紀の資本』山形浩生、守岡桜、森本正史訳／みすず書房／1頁）

テーマは「富の分配」

『21世紀の資本』は、冒頭から圧倒的に明快です。18世紀や19世紀の思想家と比較すると、あまりのわかりやすさに感動します。

「はじめに」には、まず1789年のフランス人権宣言の第1条から、以下の文章が引用されています。

「社会的差別は、共同の利益に基づくものでなければ、設けられない」

差別や不平等があるとすれば、共同の利益に基づくものでなければならない――。すでにお気づきのように、これはロールズの『正義論』に登場した第二原理とほとんど同じです。

ロールズが導き出した原理に通じる文章を、期せずしてピケティが引用していた。ここから、ピケティの主張の方向性がなんとなく想像できるのではないでしょうか。

続く文章で、ピケティは自分が検討しようとする問いについて、非常にわかりやすく整理しています。

本書のテーマは「富の分配」。要するに**「富が一部の人に集中する方向に向かうのか、それとも格差が解消する方向に向かうのかについて、18世紀から今までの推移をつまびらかにしつつ、21世紀の教訓を提示しよう」**ということです。

彼は、その少し後に、「資本主義は自動的に、恣意的で持続不可能な格差を生み出し、それが民主主義社会の基盤となる能力主義的な価値観を大幅に衰退させることになる」と書いています。

要するに、**このまま行くと資本主義が暴走して民主主義が危うくなる**、と警告しているのです。

なお、ピケティは本書で答えを導き出すにあたり、3世紀にわたる20カ国以上のデータを基にしています。

確かに、この本にはたくさんの図表やデータが提示されており、理論書というよりは統計学のテキストのような印象があります。自分の主張には、こうしたデータの根拠がある、というスタイルです。グラフ一つでも調査に膨大な手間がかかるので、その努力を評価しながら読むのがコツです。

もし資本収益率が長期的に成長率を大きく上回っていれば（……）、富の分配で格差が増大するリスクは大いに高まる。

この根本的な不等式をr＞gと書こう（rは資本の平均年間収益率で、利潤、配当、利子、賃料などの資本からの収入を、その資本の総価値で割ったものだ。gはその経済の成長率、つまり所得や産出の年間増加率だ）。これは本書できわめて重要な役割を果たす。ある意味で、この不等式が私の結論全体の論理を総括しているのだ。（『21世紀の資本』28～29頁）

最大のポイントは「r＞g」の不等式

本書の最大のポイントは、「はじめに」の27ページあたりで早くも提示されています。ピケティ自身がいっているように、この単純な不等式が本書の結論を表しています。数式にアレルギーがある文系読者にも、rがgより大きいということは、さすがに理解できると思います。キーワードとなるのが「r＞g」という不等式です。

rとは資本収益率のこと。財産から得られる利益率です。そしてgは経済成長率を示します。働いて得られる利益の増加率と考えればよいでしょう。

ピケティは、さまざまなデータを基に分析し、rが4～5％の利益をもたらすのに対し、gは1％程度の利益しかもたらさないと結論づけています。

rがgより大きいとは、財産から得られる富のほうが、労働から得られる富よりも大きいということ。つまり、もともと財産をたくさん持っている人はより裕福になり、どんなに一生懸命働いても財産を持たない人は追いつけないというわけです。

富裕層が抱えている資産は、その子ども世代へと相続されます。もちろん現状でも相続税などの制度はありますが、お金持ちの家に生まれた人が圧倒的に有利という状況には変わりありません。

ピケティによれば、こういった富の分配がもたらす格差の拡大は、特定の国だけに生じているのではなく、世界的な規模で起こっているのだといいます。もちろん私たちが住んでいる日本も例外ではありません。

「フェアに競争した結果、所得に差がつくのなら納得がいくけれど、もともと財産を持っている人が投資や賃貸収入でますます莫大な利益を手にし、持たない人が汗水働いて頑張っても逆転できないというのは、ちょっとまずいんじゃないの」

多くの読者が、そんな感想を持つのではないでしょうか。

ただし、ピケティは、r＞gという不等式は絶対的な必然としてもたらされたものではなく、歴史的に起こってきたものだとも指摘しています。つまり、論理的には修正可能であるというわけです。

正しい解決策は資本に対する年次累進税だ。これにより、果てしない不平等スパイラルを避けつつ、一次蓄積の新しい機会を作る競争とインセンティブは保持される。

（……）

むずかしいのはこの解決策、つまり累進資本税が、高度な国際協力と地域的な政治統合を必要とすることだ。（『21世紀の資本』602〜603頁）

解決策としての累進資本税

急速に拡大する格差に対して、どのように歯止めをかけるべきか。ピケティは、解決策として累進資本税の導入を提案しています。

累進課税というのは、所得が多くなればなるほど、課される税率も引き上げられる仕組みです。累進資本税は、資本の大きさに応じて累進的に課税を行っていく方式です。

財産に課税して、たくさん財産を持っている人から税を徴収していけば、格差の是正につながる。考えてみれば、ごく順当で素直な解決策です。

もっともピケティは、この解決策には高度な国際協力が必要であるとも語っています。確かに、資本に高額な税金が課されることになったら、海外に移住したり、拠点を移したりして税金を逃れようとする人も出てきます。

現に、数年前に、タックスヘイブン（租税回避地）の会社設立を手がける法律事務所から内部文書（パナマ文書）が流出し、大きな話題となったことがありました。パナマ文書には各国の首脳や富裕層の名前が記載されており、納税回避目的で意図的な財産隠しが行われていた可能性が疑われています。

また、近年は税金をほとんど納めない巨大企業の問題が取り沙汰されるようになってきました。海外の子会社に利益を移転し、利益を圧縮することで租税回避を行うケースや、買収した企業の株を社内で売り買いし、損失を計上することで租税回避を行うケースなどがあります。

そうやって一部の巨大企業に富が集中し、国家を通じた富の配分が行われなくなっていったらどうなるのだろう、と心配になってきます。

日本では、おおよそ1970年代ごろに「一億総中流」と呼ばれる国民の中流意識が定着しました。みんなが自分の生活レベルを「中流」だと感じている状況です。

これは私個人の肌感覚にも合致しています。1960年生まれである私が幼少のころは、周囲にはまだ貧しい家庭に育つ子どもがたくさん見られました。しかし、そんな彼らも社会に出て働くころには貧富の差が解消され、みんな一戸建ての家やマンションを持って、「豊かになった」と喜べるような時代がやってきました。

ところが今、国税庁の調査によると、日本の給与所得者のうち年収300万円以下の低所得者層が占める割合は約40％。また、総務省の労働力調査では、非正規雇用の割合が約37％と高い水準にあることが示されています。いずれの実態も「一億総中流」とはかけ離れつつあります。

格差の問題は、少子化問題にも直結しますし、貧困児童の増加にもつながり、将来的に国の土台を揺るがしかねないところまで来ています。

そんな中に起きたのが、新型コロナウイルスの世界的な感染拡大です。コロナ禍で業績が悪化した企業は、非正規労働者を「雇用の調整弁」として、雇い止めを行いつつあります。

さらに、医療や介護など、社会の機能を守るために現場で働く「エッセンシャルワーカー」の多くを非正規雇用の労働者が担っているため、収入はもとより、感染リスクにまで格差があるという問題が浮き彫りとなりました。

１９７０年代、80年代の空気を知る私には、「一億総中流」の時代が非常に懐かしく思えます。やはり私たちは何らかの法律を作ることで、格差の解消を検討しなければなりません。『21世紀の資本』は、その方策を考える一つのきっかけになる本といえるでしょう。

インド哲学

『原典訳　ウパニシャッド』

（岩本裕編訳／ちくま学芸文庫）

『ウパデーシャ・サーハスリー』

（シャンカラ著／前田専学訳／岩波文庫）

インド哲学を読む前に

本書で取り上げる「難しい本」は西洋哲学に関するものが大半でしたので、最後に東洋思想を代表して、インド哲学に関する本をご紹介したいと思います。

日本は、中国を経由して輸入した仏教を通じ、実はインド思想とは長いつながりがあります。しかし現在、インド哲学の理解が共有されているとはいえません。

私は、1980年ごろヨガを修練していて、ヨガとセットでインド哲学になじみました。ヨガブームが来ている今は、インド哲学を学ぶよいタイミングです。

改めてインド哲学を読み直すと、哲学が宗教や「幸福に生きる」ことと直結していることに気づかされます。

西田幾多郎の『善の研究』とセットで読むと、日常的な経験をもとにインド哲学のエッセンスを体感できると思います。

まず取り上げたいのがウパニシャッド哲学です。

ウパニシャッドとは、サンスクリット語で書かれた古代インドの宗教哲学書

を総称したもの。もともとは「傍らに座る」という意味があり、そこから「秘密の教え」「奥義」を意味するようになり、紀元前500年ころまでに文献が編纂されたとされています。

本書では、ウパニシャッド哲学を読み解くにあたり、テキストとして『原典訳　ウパニシャッド』（岩本裕編訳、ちくま学芸文庫）を選びました。日本ではウパニシャッドの原典訳は少なく、まず押さえておきたい一冊だと思います。

そしてもう一冊は、インド最大の哲学者とされるシャンカラ（700〜750ころ）の教説集である『ウパデーシャ・サーハスリー』（前田専学訳、岩波文庫）です。

ほかに、本書では解説しませんが、インド哲学を知るための参考書として、ヒンドゥー教の聖典である『バガヴァッド・ギーター』（上村勝彦訳、岩波文庫）もご紹介しておきます。この本を読めば、ヨガや瞑想についての理解が深まること間違いありません。

さらに、インド哲学の解説書としては『はじめてのインド哲学』（立川武蔵著、講談社現代新書）などがわかりやすくて参考になります。

〔一〕『オーム』という、この綴を尊崇せよ。『オーム』と〔唱えて、ウドガートリは旋律を〕吟誦する。その解説をしよう。

〔二〕神々は実に死を怖れて三種の聖智(『リグ＝ヴェーダ』と『サーマ＝ヴェーダ』と『ヤジュル＝ヴェーダ』の三ヴェーダ)にはいる。それらはかれらを韻律で包む。かれらが包む(acchādayan)のに用いたもの、それが韻律(chandas)の中の韻律たる所以《ゆえん》である。

(……)

〔四〕人が讃歌を唱え終わるとき、『オーム』と唱える。旋律の場合もそうであり、祭詞の場合もそうである。この綴はまさに声音であり、それは不死であり、無畏《むい》である。それに入って、神々は不死となり無畏となった。(『原典訳 ウパニシャッド』岩本裕編訳／ちくま学芸文庫／23〜24頁)

「オーム」という音に注目しよう

「オーム」という言葉・音があって、それは唱えるものである。オームと唱えた韻律が、死を怖れている神々を包み込むことによって、死への恐れがなくなり、神々は不死となる。

それだけ読むと、なんとなく言わんとするところがわかるようで、やっぱり意味不明な感じもします。

ただ、どうやら「オーム」という歌の韻律がとても重要であり、オームこそが韻律中の韻律であるといっているのは理解できるでしょう。

残念ながら、日本で「オーム」というと、地下鉄サリン事件（1995年）などの殺人事件を起こしたオウム真理教を連想させるため、ネガティブな言葉であるかのような印象があります。しかし、ここではいったんオウム真理教とウパニシャッド哲学の「オーム」を切り離して考えてください。

ウパニシャッドの神学書・宗教哲学書が書かれたのは紀元前4世紀から8世紀にもさかのぼります。そんなはるか昔から、インドでは歌を歌ってリズムに乗ることによって、世界を理解し、心の不安を解消しようとしていた。まずはそういった感覚を理解することが大切です。

日本にも「南無阿弥陀仏」などと念仏を唱えると、念仏のリズムに包まれて、不思議と心が安らぐ感覚があります。また、私は、音楽やリズムというのは、世界を理解する根本的な手段ではないかと考えています。

世界には音楽やリズムが満ちていて、自分の体も音楽やリズムに浸っているとき、体と世界が同時に震えるような一体感があります。

ライブ会場で好きなアーティストのライブを楽しんでいる場面を想像してみましょう。音楽の響きによって自分が包まれている。音楽を通じて自分とアーティストと会場全体が一体化している。あの感覚、あの高揚感を昔のインド人も味わっていたのです。

音と世界がつながっているという考え方、そして宗教と哲学が一体化しているところにウパニシャッド哲学の特徴があります。

〔一〕「ブラフマンは実にこの一切（宇宙を意味する）である。心の平静に達した者は、それをジャラーン（意味不明の神秘的な名称）として尊崇せよ。

（……）

〔四〕一切の行為をなし、一切の欲望をもち、一切の香を具え、一切の味をもち、この一切を包括し、沈黙して、煩わされることのないもの、それは心臓の内にあるわがアートマンである。それはブラフマンである。この世を去った後に、それに合一したいという〔意向の〕ある人は、その点について疑念はない」（『原典訳　ウパニシャッド』71～72頁）

〔三〕アートマンは車に乗る者であり、肉身は実に車であると知れ。理性は御者であり、そして意志はまさに手綱であると知れ。（298頁）

「ブラフマン」と「アートマン」は外せないキーワード

ウパニシャッド哲学を理解する上で、欠かせないキーワードが「ブラフマン」と「アートマン」です。ブラフマンとは「宇宙の根本原理」であり、アートマンは「自我」を意味する言葉。この本では、個であるアートマンと全体であるブラフマンがイコール、つまり一体であることが繰り返し示されます。ちなみに、ブラフマンとアートマンが一体であることを示す四字熟語が梵《ぼん》我《が》一如《いちにょ》です。

私たち人間が宗教を求める理由に「個であることの不安」があります。自分一人で生きていくのは辛いことですし、病気をしたり家族との死別を経験したりするのも苦痛です。そうやって一人で死んでいくことを考えると、苦しくなります。

もっと大きくて崇高なものと一体になりたい、安心したいと思うのは人間らしい欲求であり、その欲求に応えてくれるものとして生まれたのがウパニシャッド哲学であり、すべての宗教に通じる考え方だといえます。

宇宙の原理であるブラフマンと自分（アートマン）が一体化している。偉大な宇宙の原理が自分の中にあると思えると幸福感が得られる。こういった考え方は、単なる思い込みだと思われるかもしれません。

ただ、科学的に私たちの体を見ると、細胞の中にはミトコンドリアという、独自のDNAを持つ小器官があります。ミトコンドリアは、もともと酸素を使ってエネルギーを作り出す生き物だったものが、細胞内に取り込まれたものとされています。

また、そもそも地球に生命が誕生したのも、太陽系の中で生物が生きるに適した条件が整ったからです。人体の壮大な進化の歴史を考えていくと、私たちの生命は自分一人のものというより、宇宙の歴史の中で生まれたもの、宇宙の原理とつながっているものという捉え方もできそうです。

あるいは、そこまで大仰に考えなくても、私たちは高原を散策しながら深呼吸をするようなとき、スキューバダイビングで海中に潜ったりするときに、個というものから解き放たれ、自然と一体になったような感覚を得ます。

前述したようにライブで音楽を聴いているときや、スポーツをしているときにチームメイトと一体化したように感じる場面も同様です。

要するに、ウパニシャッド哲学は、宇宙と自分の一体感を認識せよと繰り返し語っているのです。

では、「アートマンは車であり、理性は御者である」とはどういう意味でしょう。

自分の身体は車のようなものであり、それを乗りこなさなければならない。これは「身体にとらわれるな」という教えとして読み取ることができます。

私たちの身体の一部が失われても、自分の理性は失われずに残ります。そう考えると、身体が自分であるとはいえず、「世界を見て認識している自分」は、身体から離れたものとして考えることができます。身体の一部が自分なのではなくて、認識している主体は身体とは離れたものである。そして、身体から離れて認識することが瞑想という行為です。

この本では、それを繰り返し理解しなさいと語っています。

身体から離れているという認識を得ることができれば、自分から離れることもでき、アートマンがブラフマンであることも理解できます。逆に言えば、アートマンがブラフマンであることを認識できれば、それは個というものから離れている証拠でもあるわけです。

自分自身のうちにある自己の本体、すなわちアートマン(Ātman 我《が》)が宇宙の根本原理ブラフマンと同一であるという真理を悟ることが、解脱《げだつ》への道であるというのである。(『ウパデーシャ・サーハスリー』シャンカラ著/前田専学訳/岩波文庫/3~4頁)

疑うことの出来ないウパニシャッドが、「君はそれ(=ブラフマン)である」といっているのに、われわれはそれをなかなか理解することが出来ない。(5頁)

師が幼いシャンカラに同じ質問をしたとき、かれは
「先生、私は地でもなく、水でもなく、火でもなく、風でもなく、虚空でもなく、それらの属性のいずれでもない。私は、感覚器官でもなく、統覚機能でもない。私はシヴァ神である。」
と答え、師を大変に喜ばせたという。(6頁)

インド最大の哲学者・シャンカラの思想も知っておく

ここからはシャンカラの思想についても触れておきましょう。シャンカラはインド最大の哲学者とされる人物であり、「千の詩節からなる教説」を意味する『ウパデーシャ・サーハスリー』という本を書き残しています。

この本では、生と死の輪廻《りんね》から解脱《げだつ》する道として、アートマンがブラフマンと同一であるという真理を悟ることの重要性を説いています。哲学と宗教が一体化しているところも、アートマン＝ブラフマンという思想も、ウパニシャッドと全く変わりません。

インド最大の哲学者というから、何か斬新な思想を提示するのかと思えば、意外にも伝統的なことを語っているのです。インド哲学においては、「何か目新しい発見を提示する」と尊敬される」というのとは別の価値観があるようです。

この本は、訳者である前田専学《まえだせんがく》さんによる冒頭の「訳者まえがき」から素直に読めば、全体的な内容をつかむことができます。

まず、シャンカラの哲学は輪廻からの解脱を目指していて、そのために宇宙の根本原理であるブラフマンを理解することを求めています。そう考えると、「自分自身のうちにある……」という文章も「疑うことの出来ない……」もシンプルに理解しやすいはずです。

まえがきには、シャンカラが「弟子になりたい」と門をたたく人に対して、最初に「君は誰か?」と質問するとあります。そこで自分の出身地や家系について常識的な説明をする人には、それは身体と自分を同一視している間違った考えであると教えたそうです。

そして、シャンカラが幼いときから自分はシヴァ神である、つまりブラフマンそのものであると認識していたことが示されます。

実は、この考え方は『臨済録《りんざいろく》』(臨済宗の開祖である臨済の言行をまとめた語録)にも登場します。臨済は「仏に逢うては仏を殺せ祖に逢うては祖を殺せ」(仏に会ったら仏を殺せ、親に会ったら親を殺せ)と教えています。

これは殺人を勧めているわけではなく、「あなた自身がすでに仏なのだから、仏を探し求めようとするな」という教えであると解釈できます。まさにシャンカラがいっているのと同じことです。

シャンカラは無明《むみょう》(avidyā 無知)の観念を導入した。かれによれば、無明とは、Aの性質をBに付託《ふたく》することである。付託とは、以前に知覚されたAが、想起の形でBに顕れることである。たとえば、薄明のとき、森のなかで縄を蛇と間違えてびっくりすることがあるが、これは過去に知覚したことのある蛇を、目の前にある縄に付託するためであるといわれる。このような付託が無明である。(『ウパデーシャ・サーハスリー』7頁)

五 輪廻の根源は無知であるから、その無知を捨てることが望ましい。それゆえに、〔ウパニシャッドにおいて、宇宙の根本原理〕ブラフマンの知識が述べ始められたのである。その知識から至福(=解脱)が得られるであろう。(18頁)

東洋思想を思い出そう

シャンカラは「無明」（無知）という観念を用いて、なぜ私たちが本当の自分（つまり、ブラフマンとアートマンの一体化）を見失ってしまうのかを説明します。

無明とは、単に知識がないということではありません。森の中で縄のことを蛇であると間違うように、勘違いによって幻影を見てしまうようなイメージです。

身体による知覚は勘違いを起こしやすく、そのため、本当は自分自身がブラフマンなのに、ブラフマンとは全く別物のように感じているというのです。

シャンカラは、輪廻も「無明」であるといっています。

私たちが生き変わり死に変わりすると考える、言い換えれば迷いの世界の中で苦しみ続けるのは、縄を蛇と勘違いしているようなもの。そういう無知な状態から脱することが解脱であり、それは自分という「個」が実はブラフマンと同一だったと気づくことであるというわけです。

このように、シャンカラの『ウパデーシャ・サーハスリー』では、全編にわたって繰り返しブラフマンとアートマンが同一であるという真理が語られます。『原典訳　ウパニシャッド』より、この本のほうが語り口は平易です。時系列としては逆になりますが、先にシャンカラの本を読むとインド哲学が理解しやすいかもしれません。

私たち現代の日本人は、あまりにも西洋的な、論理的な思考に慣れすぎてしまっているせいで、まるで宗教のようなインド哲学に違和感を感じるかもしれません。ただ、もとをただせば宗教と哲学の同居は、むしろ人間本来の思考だったのではないでしょうか。

ウパニシャッド哲学は、仏教をはじめとした世界のさまざまな宗教に影響を与えています。つまり、日本で仏教の教えに親しんでいる人もウパニシャッド哲学の影響下に生きています。

一昔前の日本人は、今よりも信心深かったので、「宇宙の根本原理と自分が一体化している、それに守られている」という感覚を日常的に持っていました。

『原典訳　ウパニシャッド』『ウパデーシャ・サーハスリー』といったインド哲学の本をきっかけに、私たちが忘れてしまった感覚に触れてみることをお勧めします。

参考文献

『使う哲学』（齋藤孝著、ベスト新書）
『齋藤孝のざっくり！西洋哲学』（齋藤孝著、祥伝社黄金文庫）
『1行でわかる名著』（齋藤孝著、朝日新書）
『はじめての哲学史』（竹田青嗣・西研編、有斐閣アルマ）
『哲学用語図鑑』（田中正人著、斎藤哲也編集・監修、プレジデント社）
『続・哲学用語図鑑』（田中正人著、斎藤哲也編集・監修、プレジデント社）
『精神現象学』（ゲオルク・ヴィルヘルム・フリードリヒ・ヘーゲル著、長谷川宏訳、作品社）
『ヘーゲル『精神現象学』入門』（長谷川宏著、講談社選書メチエ）
『超解読！　はじめてのヘーゲル『精神現象学』』（竹田青嗣、西研著、講談社現代新書）
『マルクス資本論（一）』（エンゲルス編、向坂逸郎訳、岩波文庫）
『マルクス　資本論』（佐々木隆治著、角川選書）
『1分間資本論』（齋藤孝監修、SBクリエイティブ）
『ツァラトゥストラ』（ニーチェ著、手塚富雄訳、中公文庫プレミアム）
『ソシュールの思想』（丸山圭三郎著、岩波書店）
『善の研究』（西田幾多郎著、小坂国継全注釈、講談社学術文庫）
『西田幾多郎』（永井均著、角川ソフィア文庫）
『100分de名著　善の研究』（若松英輔著、NHK出版）
『論理哲学論考』（ウィトゲンシュタイン著、野矢茂樹訳、岩波文庫）
『ウィトゲンシュタイン『論理哲学論考』を読む』（野矢茂樹著、ちくま学芸文庫）
『ウィトゲンシュタイン入門』（永井均著、ちくま新書）
『ウィトゲンシュタイン　論理哲学論考』（古田徹也著、角川選書）
『存在と時間（一）〜（四）』（ハイデガー著、熊野純彦訳、岩波文庫）
『ハイデガー哲学入門　『存在と時間』を読む』（仲正昌樹著、講談社現代新書）
『知覚の現象学1』『2』（メルロー=ポンティ著、竹内芳郎、小木貞孝訳、みすず書房）
『全体性と無限』（エマニュエル・レヴィナス著、藤岡俊博訳、講談社学術文庫）
『レヴィナス　「顔」と形而上学のはざまで』（佐藤義之著、講談社学術文庫）
『レヴィナスと愛の現象学』（内田樹著、文春文庫）
『〈新装版〉監獄の誕生　監視と処罰』（ミシェル・フーコー著、田村俶訳、新潮社）
『フーコー入門』（中山元著、ちくま新書）
『正義論』（ジョン・ロールズ著、川本隆史、福間聡、神島裕子訳、紀伊國屋書店）
『21世紀の資本』（トマ・ピケティ著、山形浩生、守岡桜、森本正史訳、みすず書房）
『原典訳　ウパニシャッド』（岩本裕編訳、ちくま学芸文庫）
『ウパデーシャ・サーハスリー』（シャンカラ著、前田専学訳、岩波文庫）

齋藤 孝（さいとう たかし）

1960年、静岡県生まれ。東京大学法学部卒、同大学大学院教育学研究科博士課程を経て、現在、明治大学文学部教授。専門は教育学、身体論、コミュニケーション技法。著書に『宮澤賢治という身体』（世織書房、宮澤賢治賞奨励賞）、『身体感覚を取り戻す』（日本放送出版協会、新潮学芸賞）、『声に出して読みたい日本語』（草思社、毎日出版文化賞特別賞）、『話すチカラ』（ダイヤモンド社）、『思考中毒になる！』（幻冬舎）など多数。

構成　渡辺稔大

装画　星野ちいこ

難《むずか》しい本《ほん》をどう読《よ》むか

2021年4月2日　第1刷発行

著　　者　齋藤孝

装 幀 者　佐々木博則

発 行 者　藤田博

発 行 所　株式会社草思社
　　　　　〒160-0022　東京都新宿区新宿1-10-1
　　　　　電話　営業 03(4580)7676
　　　　　　　　編集 03(4580)7680

本文組版　佐々木博則

本文印刷　株式会社三陽社

付物印刷　株式会社暁印刷

製 本 所　加藤製本株式会社

ISBN978-4-7942-2510-8　Printed in Japan　検印省略